Casate ConTIGO

Pilar Vega

Casate ConTIGO

El compromiso contigo y con tus sueños

Título: Cásate contigo

Autoedición y Diseño: 2019, Pilar Vega Santana

Primera edición: 2019
ISBN-13: 978-84-09-09819-4
Depósito legal:

PRÓLOGO POR LAIN GARCIA CALVO

El propósito definitivo es la CONTRIBUCIÓN.

Nada nos va a hacer sentirnos más felices y más realizados que poder dar más en todos los sentidos.

Poder ayudar a otros mentalmente, emocionalmente, económicamente,,físicamente, en cualquier sentido que te puedas imaginar, eso es lo que hará que tengas una vida bendecida y que sientas que realmente todo ha servido para algo.

Lamentablemente, de una misma fuente no pueden brotar dos aguas, así que o eres fuente de bien y haces el bien y das el bien, o eres fuente de mal, y haces el mal, y das el mal.

No puedes dar lo que no tienes.

Por eso, aunque el propósito definitivo es la CONTRIBUCIÓN, el propósito primario es el CRECIMIENTO PERSONAL.

Cuanto más crezcas más experiencias obtendrás, más éxitos materiales recibirás, más aprendizajes y anécdotas tendrás, más información manejarás, más conocimiento y sabiduría tendrás y, por lo tanto, más herramientas tendrás para poder ayudar a los demás.

Cuando lo logres, verás que recibes mucho más de lo que has dado, y esto te llevará a un nivel de conciencia superior en el que te das cuenta que acabas de entrar en el círculo de la ABUNDANCIA.

Ese círculo empieza por el DAR y termina por el RECIBIR y vuelve a empezar, en este orden.

Si ahora tú estás aquí, en estas páginas, significa que has dado y ahora vas a recibir. Nada llega por casualidad sino por CAUSAlidad, así que hay algo importante para ti aquí.

Gracias Pilar por escribirlo y a ti, amado lector, por leerlo.

LAIN, autor de la Saga de LA VOZ DE TU ALMA

AGRADECIMIENTOS

Agradezco primero que nada a mi Dios por permitirme llegar hasta aquí, y permitir que mis sueños sean posibles.

En segundo lugar a mis hijas, porque ellas han sido en todo momento el empuje para poder hacerlo, dándome las razones del por qué, GRACIAS hijas mías.

A mi familia, porque ellos han sido el condicionante para mi crecimiento personal.

Me siento tremendamente agradecida por el apoyo de mi amiga incondicional y por muchos más amigos, ellos saben quién son, que me han apoyado y ayudado en el proyecto a todos, gracias, gracias, gracias.

Y agradecerte a ti lector, porque sin ti este camino no tendría sentido, gracias de todo corazón y espero que disfrutes de la lectura, ya que he puesto todo mi esfuerzo y amor en cada página y con todos mis respetos hacia ti.

Gracias, gracias, gracias

TESTIMONIOS

Gracias Pilar por recordarnos que todos llevamos dentro nuestra Golau, esa guía interior que nos conduce por senderos inhóspitos en el proceso de autoconocimiento, para lograr ser la mejor versión de nosotros, lo cual nos recuerda sin la situación que estemos atravesando siempre estamos guiados!!!

Nancy Rua

Pilar ha sabido trasmitir con una sencillez que roza el alma como cuando aceptas a tu yo cuántico y te nes a el tu mundo exterior se vuelve mágico. Si quieres saber cómo utilizar la risa para tu trasformacion su trilogía no te debe faltar.

Vanessa Calvo
Autora de la trilogía "Mientras buscaba tu esencia".

Mil gracias por confiarme tu obra. Me ha encantado la forma creativa en que has contado tu historia y a la vez, has ido dando pautas al lector para superar sus desafíos. Además, me gusto que hables de la presencia de ángeles en nuestras vidas porque son una constante en mi vida. En realidad no tengo observaciones porque me parece que tienes un estilo creativo y original.
Has usado un lenguaje sencillo pero también has incluido referencias de estudios y profesionales sobre algunos temas específicos.

Felicidades y éxitos!!!
Un abrazo.

Melina

Gracias por la sencillez de tu relato, por mostrarnos que siempre hay una salida cuando confiamos y nos escuchamos La trilogía de cásate contigo, ya como dice el nombre te ayuda a reencontrarte, a quererte y te da este rayito de luz en la oscuridad que nos hace falta para poder vencer nuestros miedos y que nunca es tarde para lograr tus sueños. El mejor ejemplo es pilar que en sus libros nos ofrece su mano y su corazón para volver a poder soñar y reencontrar ese guerrero que todos tenemos por dentro.

Una obra mágica que te muestra que ¡ Si se puede!

Nora Rőhl
Actriz del serial alemana

En esa gran obra de Pilar he encontrado la fuerza, la energía que soy.

Ella nos enseña a ver más allá del físico y encontrar esa guía espiritual de la cual siempre estamos en búsqueda. Cásate Contigo es una propuesta de gran valor porque me ha regalado el encuentro conmigo misma, saber que puedo, que tengo el poder y que estoy acompañada siempre. Gracias Pilar por abrir nuevos horizontes dentro de mi.

Lara

De una forma original la autora nos muestra su propia historia y nos impulsa hacia el crecimiento personal regalándonos para ello diferentes herramientas como el poder sanador de la risa en nuestra vida. Gracias Pilar por este trocito de luz.

Verónica Valero Ríos
Maestra y autora de la trilogía "El amor es de colores".

INDICE

CÁSATE CONTIGO

Un libro que te habla del compromiso contigo y con el universo.

En estas páginas te hablaré de mí, de una madre separada con todo en su contra, de cómo consigue salir adelante y superar muchas adversidades.

Querido lector, lo que en estas páginas narro no trata de drama sino de superación. Si estás pasando por una relación tormentosa y no encuentras cómo salir, déjame decirte que sí se puede.

No estás solo, hay una fuerza mayor o superior que nos acompaña yo lo llamo mi ángel de la guarda.

A veces estamos tan metidos en la oscuridad del túnel que nos cuesta ver la luz que hay al final.

¿Sabes qué? –SÍ la hay piénsalo por un momento.

Siempre habrá alguien que tienda su mano alguien que te ayude en el peor de los momentos sorprendentemente no es de quien más lo esperamos.

A esas personas yo les llamo **ÁNGELES DE LA GUARDA**.

Ángeles que viven aquí en la tierra como guerreros de luz que todos y cada uno de nosotros tenemos algunos destinados desde el momento de nuestro nacimiento para guiarnos en este mundo tan hostil.

Aparecen de la nada y lo dan todo sientes como te acarician con sus alas y te tienden su mano y luego ya no los ves.

En ocasiones aparecen y se te revelan en una sonrisa, escuchas una palabra como enviándote señales, algo que en ese momento necesitabas escuchar.

Yo tuve una experiencia cuando mi hija pequeña estuvo en neonatos por problemas de coagulación de la sangre, pues te puedes imaginar para mí como madre aquello era muy doloroso, sobre todo por la falta de información y te angustiaba ver tantos bebés allí, algunos no alcanzaban los 500grs. Pero entre todas las enfermeras hubo una que llamaba mucho la atención.

Era dulce y trataba a los bebés con una delicadeza que cuando los acunaba te daba la sensación de que dormían entre almohadas de plumas.

Quiero, querido lector, que por muy mal que pinten las cosas y a veces parezcan de color negro, quiero que sepas que yo no pretendo pintártelas de color de rosa, sino que me gustaría que al sumergirnos juntos por este camino que te iré mostrando vayamos descubriendo otro mundo de posibilidades infinitas.

Me gustaría que dijeras sí quiero a todo lo bueno que quieres lograr en esta vida poniendo un gran SÍ a tu futuro prometedor dando un poco de optimismo a la **VIDA**.

Aprende a vivir y sabrás morir bien

CONFUCIO

La vida hay que disfrutarla en cada momento y no estar muerto en vida.

Cuando hay un compromiso se dice hasta que la muerte nos separe; a veces no siempre se refiere a muerte física sino a la muerte del amor, de los sueños, mueren las ilusiones la pasión se acaba.

Querido lector, voy a confesarte algo...

Yo también creía que era para siempre hasta que la muerte nos separara y no fue así. Pero tampoco pensé que iba a ser tan duro, te casas ilusionada y enamorada.

De repente un buen día te levantas junto a un completo desconocido, ya han pasado diez años desde que comenzaste ese camino junto al hombre que creías tu amor **ETERNO**.

El tiempo nos modela, nos cambia y ya nada vuelve a ser lo mismo. No busco culpables, solo responsables.

Hace 15 años que nos separamos, tenemos dos hermosas hijas en común; vengo de padres separados y de ver desde muy niña la falta de amor que había entre ellos.

Con el tiempo aprendes que todo, absolutamente todo, debe hacerse desde el **AMOR.**

La medida del amor es amar sin medidas

SAN AGUSTÍN

Mi madre para mí fue un gran referente, como para cualquier hijo, pero no de forma tan positiva. Mujer sufrida y sumisa sometida a malos tratos, recuerdo que en mi luna de miel tuvimos una conversación un tanto irónica, ella me dijo:

- Pili, la semana que viene Lalita quiere que le des el tinte.

- Mamá, vamos a ver si puedo porque...

Me interrumpe y continuó:

- Claro, claro es que ahora estás casada y tendrás que consultarlo con tu marido.

No podía creer que mi madre con todo lo mal que lo había pasado podía darme semejante consejo y que aún tuviera esa forma de pensar.

Pero no la culpo, no sabía hacerlo de otra manera porque nadie la enseñó a amar. He aprendido con el tiempo la importancia que tiene el entorno donde creces y de quienes te rodeas.

Mi madre se crio con una tía suya, hermana de su padre, porque se quedó huérfana de madre a la temprana edad de los 7 años.

Su único hermano también había fallecido a causa de la tuberculosis.

Mi madre conoció a mi padre muy joven y en aquel entonces te casabas para dedicarte en cuerpo y alma a tu marido, pero mi madre de tanta dedicación se dejó el alma en ello.

Mi padre, un hombre alto y apuesto, conquistó a mi madre y a media isla también.

Mujeriego como el que más con una muy buena profesión, mecánico de camiones, y rompecorazones.

Pues con este panorama de desolación se crio y rodeó a mi madre (normal que pensara y actuara de esa forma).

Una vez leí que nosotros elegimos de quién nacer y tengo que confesarte que eso a mí me extrañó muchísimo.

¿En serio?

¿A quién se le ocurriría elegir a mis padres?

- Claro está, eso fue lo que en ese momento pensaba yo.

Pues sí, por ejemplo:

Para el budismo, la reencarnación es el resultado del Karma, es decir, de las acciones que hemos realizado.

Y comencé a creer que repetíamos curso si en otras vidas no habíamos cumplido con nuestro propósito aquí en la tierra. Eligiendo a nuestros padres como vehículo que nos conduciría a conocer a personas y circunstancias que nos llevaban a realizar dicha tarea aquí en la tierra.

Y... ***VOILÀ*** aquí estoy.

Siempre me he sentido como que no pertenezco a este lugar del mundo, me sorprendo muchas veces con habilidades que no sabía que las tenía y nunca había aprendido.

También estuve mucho tiempo preguntándome.

- ¿Qué carajos pinto yo en este mundo?

¿No te has preguntado tú eso alguna vez?

Muchas de las veces en esos días de infierno vividos en casa, porque no lo sabes, pero yo soy la segunda de cinco y mi padre terminó largándose de la casa después de años de infidelidades y malos tratos.

Pues deseaba no haber nacido.

Siempre me preguntaba pero qué más da.

- ¿A quién le importaría? Si no tenía el apoyo de mis hermanos ni de mis padres.

Pero unas navidades echaron por televisión la película **¡Qué bello es vivir!** Una película antigua del director Frank Capra del año 1946 que casualmente o no es la fecha en la que nació mi madre Esperanza.

En la película descubrí que en la vida estamos todos conectados. Para quien no la haya visto, el actor decide poner fin a su vida tirándose desde un puente, pero un hombre que apareció por allí, se lo impidió.

El protagonista deseó no haber nacido y en cierto modo su deseo se cumplió.

Es de esas películas que aun siendo tan antigua yo la recomendaría ver, pues te lleva a la reflexión. Si no haz una cosa y ahora mismo hazte esa pregunta:

¿Qué hubiera ocurrido si no hubieras nacido?

A lo mejor dirás que no gran cosa, pero piensa por un momento:

- Quizá diste un tirón a alguien para evitar que fuera atropellado o tal vez no hubieras conocido a esa persona tan especial.

Si lo piensas con calma, sacarías miles de cosas más seguro que sí parece tontería, pero interferimos de un modo u otro con todo lo que nos rodea y eso nos hace ver que aún las acciones más insignificantes pueden repercutir en la vida de los demás.

Y debemos intentar que sea de manera positiva.

CÁSATE CONTIGO quiere poner su granito de arena ayudando en algo si cabe poniendo un rayito de luz.

Pero te tienes que enamorar de TI, de la persona más importante que eres **TÚ.**

Porque eres único y lo has olvidado, por ser madre, padre, hermano esposo, esposa, hijo... lo que sea, pero un ser **especial** que tiene mucho que dar y recibir.

No importan mis desafíos, pero solo quiero con ello decirte que cuales sean los tuyos todos tenemos nuestros **monstruos,** por eso te pido que te cases contigo para que no olvides que importas y mucho.

"Nunca sabes lo fuerte que eres hasta que ser fuerte es tu única opción"

BOB MARLEY

Quiero contarte cómo salí adelante sola con dos hijas menores y sin recursos, con 15 años de mudanzas, de cambios de trabajo, de no tener nada en la nevera.

Hoy estoy aquí sentada ante mi ordenador queriendo desde mi más humilde intención aportarte algo, no soy psicóloga, solo una persona al igual que muchas que también han estado o estarán pasando por momentos difíciles.

Pero SIENTO la necesidad de compartir con los demás y contar cómo pude lograr poco a poco salir porque no tenía otra opción.

¿QUIÉN ES TÚ PAREJA IDEAL?

Seguramente lo fue esa persona pero solo por un tiempo o tal vez algo cambió definitivamente para los dos. Jeff Zinnert decía:

"El amor es algo eterno, el aspecto puede cambiar, pero no la esencia.

Cuando en una de las reuniones de catequesis asistí como casi todos los domingos a la misa de las 19:00, vi esa tarde cómo una pareja de mayores celebraban sus 50 años de casados.

Iban acompañados de unas tres o cuatro generaciones de hijos nietos y bisnietos.

Yo por aquel entonces llevaba unos 5 años de separada. Recuerdo cómo se miraban, con qué cariño y ternura, me emocioné tanto, sobre todo cuando vi que él se emocionaba también.

En ese preciso momento pensé si algún día alguien me iba a acompañar con ese amor, que parecía no tener edad ni fecha en el calendario como dice la canción.

¿Sabías que en España se rompe un matrimonio cada 5 minutos? Y que lo peor de todo es que afecta a más de 100.000 niños.

Los hijos los mayores sufridores en casa y los menos favorecidos.

Solo me queda pensar que parte de nuestra esencia se pierde o bien porque nos olvidamos de cuidarla o porque permitimos que nos la arrebaten.

Tendríamos que cuidarnos más y cuidar a nuestra pareja también es fundamental.

Hoy en día aún me sigo preguntando.

¿Qué pasó?¿Cómo fue que tanto amor acabara sin más?

He aprendido mucho en esos 15 años yo solo era una chiquilla de 20 años cuando lo conocí.

"Madre mía, tanta ingenuidad tanto que aprender."

Miro a esa niña a los ojos y no me reconozco en ella. Hoy soy más fuerte, más segura. Me siento mejor y doy gracias por el camino andado.

Había leído algo sobre autoestima, libros de autoayuda y espiritualidad, comencé a leer y pude aprender, pero no descubrí hasta más tarde, cuando apliqué lo que allí decía, de lo que era capaz.

Mi matrimonio era una muerte ya anunciada. Llevábamos años mal, ya dije que para mí en una relación no se debe buscar culpables sino responsables y digamos que ambos fuimos responsables de que todo se fuera al garete y que pasáramos del amor al odio en poco tiempo.

Cierto es que la lectura de aquellos libros despertaron en mí el impulso de empezar a ver las cosas de diferente forma y de encontrar algunas respuestas.

Pero el final llegó, amargo, incierto y allí estaba yo, un domingo de abril, con mil cosas en el coche hacia un rumbo desconocido y con la sensación de ahogo, para calmarme, me repetía una y otra vez:

-Nena, tranquila, que saldrás de esta, ya verás que sí.

Cogí a mis niñas, las monté en el coche y nos fuimos sin armar ningún tipo de ruido, sino el que produce el motor de mi coche. Alejándonos de allí sin pensar en lo que iba a acontecer en un futuro...

La sensación de libertad que experimenté fue brutal, dar ese paso para mí fue "frunsónico", Robinson va por ti, este es un término que no existe en el lenguaje español y no es mío, lo aplico para describir que algo es apoteósico y brutal.

Mi grito de guerra ese día fue:

- "SOY LIBRE".

Desde muy pequeña me he sentido muy diferente algo incomprendida por mis padres y hermanos, he sido una niña curiosa, inquieta y eso hacía que mi madre se incomodara y le sacara muchas veces de sus casillas. Cosa que luego descargaba con alguna que otra torta y paliza.

Yo era lo que comúnmente llamamos la **OVEJA NEGRA.**

Pero eso no impidió que viniendo de una familia de economía baja, con padres separados y con una madre analfabeta que limpiaba pisos para sacarnos a delante, yo pudiera sacar unos estudios secundarios de F.P cuando en la E.G.B que así se llamaba los estudios de enseñanza general básica, la directora se dirigiera a mí y me dijera:

"**Que sepas que te doy el certificado porque conozco la historia de tu madre y sé que lo necesitas para ayudarla, para que trabajes que es para lo úni-**

co que vales, ni se te ocurra ir al instituto porque no lo aprobarás."

"UPS", acaba de pronunciar la palabra mágica, la de no puedes hacer tal o cual cosa, ¿pues sabes qué?, ahora lo voy a hacer.

Y así lo hice.

Aún no logro entender cómo en pleno siglo XXI la enseñanza está tan obsoleta.

Albert Einstein solía decir:

"Todos somos genios. Pero si juzgas a un pez por su habilidad de trepar árboles, vivirá toda su vida pensando que es un inútil".

Sería genial que en las escuelas hubiera asignaturas donde se enseñen más valores como la autoestima, la tolerancia, la creatividad, pero como asignatura única.

Cuando yo estudiaba, a los que ellos consideraban más avanzados los colocaban en primera fila y los menos afortunados en la fila de atrás.

Y ¿por qué no fomentan más sus dones y ponen en práctica sus talentos?

Y como decía en la canción de Mecano de Eugenio Salvador Dalí: **"Andamos justos de genios".**

Porque no todos tenemos que ser médicos ni arquitectos, también podemos ser artistas, impresionistas, músicos, inventores, mil cosas, todo lo que lo queramos ser seremos, no dejemos nunca de soñar.

Por eso debería de existir esa escuela de formadores de sueños.

Cada vez hay más absentismo escolar y la verdad no me extraña. Según el informe PISA revelan que este problema es especialmente llamativo en España.

"El absentismo escolar en España alcanza el 28%, el doble que el exigido por la OCDE."

Cosas como estas nos han condicionado durante tanto tiempo.

¿Qué hubiera pasado si yo hubiera hecho caso a aquella profesora?

¿Por qué esa manía de encasillarte como inútil?

Durante un tiempo creía que así era, lo creí de mi madre cuando me tachaba de loca de que yo nunca llegaría a nada, que quien creía yo que era etc....

Pero gracias a una profesora y vecina mía, Luisa, me aconsejó que me formara, si no quería estar como mi madre limpiando casas, que igualmente es un trabajo muy digno y que gracias a él pude pagarme los estudios durante esos 10 años.

Trabajaba por la mañana en casas y con lo que ganaba que no era mucho, pero sí lo suficiente para pagar la guagua (bus) y las mensualidades de la academia.

EL COMIENZO

Así que me lie la manta a la cabeza y con las niñas me mudé a un municipio lejos de donde vivíamos, alejándome todo lo que pude de mi vida anterior, aunque aquellos **monstruos** me perseguían yo intentaba no escucharlos y tiré para adelante.

Pasó algo muy curioso, pasé a ser la señora de... a la apestosa, "qué fuerte me parece", que en hoy en día siga habiendo tantos prejuicios hacia las mujeres separadas, sobre todo dentro de tu propia familia.

Poco a poco fui viendo cómo cerraban puertas a mi paso y yo no entendía nada. Me vi sin apenas apoyo y muy deprimida, pero no podía permitirme bajar la guardia ya que tenía dos hijas menores que sacar hacia delante.

El solo hecho de pensar en enfermarte era un lujo que no me podía permitir, todo dependía de mí económicamente y por eso tenía que ser fuerte.

Yo no importaba en ese momento, solo ellas eran mi motor, mi guía y la razón por la que cada mañana me levantaba. Y desde aquí les doy las gracias por ser unas niñas tan valientes.

Y a ti, querido lector, por seguir aquí acompañándome en cada párrafo que escribo.

En uno de esos libros leí una fábula que me gustó, vuelve la página y disfruta de ella.

LA RANA QUE CAYÓ AL HOYO

"Un grupo de ranas viajaba por el bosque y de repente, dos de ellas cayeron en un hoyo profundo.

Todas las demás ranas se reunieron alrededor del hoyo. Cuando vieron cuán hondo era, dijeron a las dos ranas que estaban en el fondo, que para efectos prácticos, se debían dar por muertas.

Las dos ranas no hicieron caso a los comentarios de sus amigas y siguieron tratando de saltar fuera del hoyo con todas sus fuerzas. Las otras ranas seguían insistiendo que sus esfuerzos serían inútiles. Finalmente, una de las ranas puso atención a las que las demás decían y se rindió. Se desplomó y murió. La otra rana continuó saltando tan fuerte como le era posible.

La multitud de ranas le gritaban que dejara de sufrir y simplemente se dispusiera a morir. Pero la rana saltaba cada vez con más fuerza hasta que finalmente saltó fuera del hoyo. Cuando salió, las otras ranas le preguntaron:

-¿No escuchaste lo que te decíamos?

La rana le explicó que era sorda. Ella pensó que las demás la estaban animando a esforzarse más para salir de ahí.

Como no sabía que era imposible, lo intentó Y como creía que podría, lo consiguió".

CINCO PASOS PARA QUE TE ENAMORES DE TI

Querido lector, quiero ofrecerte un ejercicio para lograr que te conviertas en la persona que a ti te gustaría llegar a ser.

Para ello te mostraré los 5 pasos fundamentales para lograrlo.

PASO 1.- DEFINE QUIÉN QUIERES LLEGAR A SER:

Es muy importante que tengamos claro en qué nos gustaría convertirnos para tener un referente de hacia dónde nos dirigimos, parte fundamental en nuestro desarrollo personal.

Te propongo que hagas un avatar de cómo te gustaría ser.

Será divertido, como entrar en un juego de los *Sims*.

Ponle un nombre, describe cómo sería, dibújalo, qué te gustaría que hiciera, todo lo que a ti te gustaría ser y lograr en esta vida.

Deja que tu imaginación vuele tan alto como te gustaría.

Describe cada detalle, dónde te gustaría vivir, el tipo de trabajo que te gustaría tener, la forma de ser, de expresarte etc....

Con este ejercicio vas a crear tu yo cuántico como tú te lo imaginas, ese que es tu mejor versión.

Llévalo contigo siempre o bien ponlo en algún lugar visible de la casa, en la oficina, en el coche o mejor ponlo por todas partes que cada vez que lo veas te recuerde en quién quieres convertirte.

PASO 2.- DETERMINA QUÉ NECESITAS APRENDER PARA LLEGAR A TU META:

Fundamental ¿cuáles son tus metas?

Primero de todo escribe tus metas para saber hacia dónde te diriges. Cuando lo hayas definido buscas las herramientas para encaminarte hacia ellas. Quiero que te mojes en este camino para que cuando te vuelvas a mirar al espejo te identifiques con el avatar que tú mismo has creado.

Ya te has tomado demasiado en serio esto que llamamos vida olvidándote de lo que realmente importa, TÚ.

No haces daño a nadie por sacar de nuevo al recreo a ese niño que llevamos dentro y que hemos olvidado. El saber definir bien tus metas hace que te centres bien hacia a dónde te diriges, pero lo podemos hacer de forma técnica a la par que divertido, porque es muy importante que te diviertas mientras haces los ejercicios.

PASO 3.- ACTÚA:

Pon ya una fecha para comenzar con tu cambio hacia tu nueva vida. Habrás leído algo sobre visualizar, repetir palabras como **"yo soy capaz",** pues sí funcionan, pero hay que actuar y hacer cosas para que todo suceda. Si te has propuesto dejar de fumar no basta con quererlo, ponte una fecha y hazlo; que lo que quieres es estar en forma ve y apúntate al gimnasio, pero luego no faltes.

En definitiva:

"EL MOVIMIENTO SE DEMUESTRA ANDANDO"

PASO 4.- NO BUSQUES EL CAMINO SEGURO SINO EL DE MAYOR CRECIMIENTO:

Tenemos que aventurarnos en lo desconocido y a veces riesgoso.

"Dirán que andas por un camino equivocado si andas por tu camino."

ANTONIO PORCHIA

"Voces" (1943)

PASO 5.- MOTÍVATE DURANTE EL PROCESO DE CRECIMIENTO:

Revisita tu visión constantemente, recréate en tu avatar en cómo actuarías, cómo sería y juega a ser él.

Poco a poco verás cambios positivos y cuando lleguen tienes que premiarte.

Mímate, ve al cine, haz cosas que te motiven, conecta de nuevo **CONTIGO**.

Querido lector, quiero proponerte un juego, será muy divertido y muy creativo, voy a invitarte a que me acompañes a soñar.

CÁSATE CONTIGO no es un libro normal y corriente como has podido ver, quiero involucrarte en el proceso de tu crecimiento.

Me gustaría que visualizaras un reino.

El reino de las posibilidades infinitas, donde los sueños se cumplen y donde todo es posible si tú así lo crees, personalmente yo he creado mi propio reino, te invito a que te adentres en él.

Imaginemos que entras a este reino limpio de corazón y con la mente abierta, para que puedas llenarte de todas las cosas buenas que por el camino aprenderás.

Bienvenido al reino CARIAD.

Como comente hace unos párrafos yo he creado mi propio avatar.

Te presento a **GOLAU,** significa **LUZ** en gales.

Los nombres que utilizaré provienen de una Nación del Reino Unido. (Gales)

La guerrera Golau vive en el reino de Cariad (amor), y va acompañada de dos soldados **ENAID** (alma) y **MEDDWL** (mente).

CAPÍTULO I

EL REINO DE CARIAD

Cuando la guerrera Golau no tenía cómo entretenerse siempre andaba de un lado a otro inquieta buscando algo que hacer, distinta a las demás chicas de su edad, le gustaba soñar despierta, le gustaba aventurarse, siempre acompañada de sus inseparables **ENAID y MED** como lo solía llamar de forma cariñosa.

Golau una chica dulce pero fuerte, de espíritu libre, capaz de enfrentar cualquier desafío, brillante y llena de luz.

La hija predilecta de papá.

Cuando GOLAU estuvo preparada, fue enviada por su padre Brenin Dominyd para que sembrara luz en el reino oscuro.

Rey Brenin.- Hija, ya ha llegado el momento de que salgas en busca del reino oscuro y envíes luz al que lo necesite, pero no podrás llevar ningún arma para defenderte solo podrás ir acompañada de tus soldados Enaid y Med.

Irás adquiriendo tus armas según vayas superando los obstáculos que encuentres por el camino.

Golau-. Pero padre si me mandas allá afuera sin armas con las que defenderme ¿cómo crees que voy a luchar con mis posibles enemigos?

Rey Brenin.- No estás indefensa tú eres LUZ y VERDAD, me tienes a mí como referente, ningún arma forjada podrá contigo confía en ti.

Y así la guerrera acompañada de sus soldados emprendieron el viaje por el reino de Cariad hacia el reino Oscuro.

A medida que se adentraban por senderos desconocidos, Golau comenzaba a añorar su hogar, el calor reconfortante de los abrazos de su padre.

Enaid.- Noto que aún tienes tu cabeza en Cariad, Golau, no temas, pronto regresaremos de nuevo al hogar ahora disfrutemos del camino.

"Mira qué colores tan brillantes tienen esas flores".

Med.- Sí, pero ya está comenzando a hacer frío aquí y la verdad que en el castillo estaríamos disfrutando, sentados cerca del fuego y saboreando una suculenta comida.

Golau.- No os preocupéis, chicos, estoy bien, algo preocupada, aún no sé cómo lograré enfrentarme al oscuro Bachgen Tywill.

Pero la guerrera, que quería pensar qué camino escogerían, ordenó silencio ya que no podía centrar su mente en enfocar hacia dónde dirigirse.

Golau.- SHH, ¿Habéis escuchado eso?

Med - Enaid.- No, ¿qué?

Golau.- Justo ahí, detrás**.**

Señalando a una piedra rodeada de musgo por donde sobresalía una gran cola peluda y algo despeinada.

Golau.- ¿Quién anda por ahí?

De repente sale un enorme gato de detrás de la roca.

Golau.- ¿Quién eres? ¿Por qué estás escondido?

Gato.- Me llamo Enog y no estoy escondido, no quería asustarlos, buscaba algo de comida. ¿Puedo acompañarlos por el camino? No me gusta andar solo, mi familia ya se ha marchado y como me entretuve cazando ratones les perdí de vista, seguramente me estarán buscando.

Med.- Esto solo nos retrasará, Golau, para encontrar el reino del oscuro y volver a casa cuanto antes, cada vez me gusta menos estar tan lejos.

Haciendo caso omiso a las quejas de Med, Golau, Enaid y ahora el nuevo acompañante Enog continuaron el camino.

Med que andaba todo el día quejándose por cualquier cosa, no le gustaba aventurarse ni lo desconocido.

Prefería moverse en terrenos que para él eran más familiares.

Le gustaba sentirse protegido y arropado, no era para nada atrevido, más bien al contrario, todo tenía que ser medido y contrastado.

Sin embargo, Enaid era más lanzada, más soñadora, le gustaba más el sonido del canto del ruiseñor y el olor del perfume de las flores.

Cuando ya habían pasado el puente que limitaba el reino de Cariad y cruzado el espeso bosque, decidieron buscar un lugar donde pasar la noche.

Golau.-Tendremos que buscar dónde dormir para continuar mañana nuestro camino.

Como se adentraban en tierra de lobos, prefirieron elevarse y buscar un lugar en lo alto de los árboles.

Los alrededores del reino ofrecían unos paisajes muy hostiles, pero también podías encontrar unos árboles robustos con potentes ramas donde poder pasar la noche a salvo de los peligros que acechaban allá fuera.

Aunque pienses que me he vuelto algo "friqui" no es así.

Solo quiero transmitirte la idea de que no hay límites para soñar para dar rienda suelta a la imaginación.

Me gustaría seguir con mi historia, pero mi libro no se trata de ello o si en este corto relato te he mostrado algunos personajes como GOLAU esa es mi guerrera,

sus acompañantes son alma y mente con los que a diario nos enfrentamos el ángel y el demonio,

que en ocasiones aparecían en algunos dibujos animados en ambos lados de la cabeza hablando al oído, entrando en una lucha constante de lo que está bien o mal y así dirigiendo nuestras vidas a su antojo.

El rey es el ser supremo esa fuerza invisible que nos guía, protege y libra de todo mal.

En realidad quiero hacerte ver que sea cual sea el mundo en el que te desenvuelvas, el tipo de vida que ahora mismo estás viviendo o las batallas que estés librando, amigo mío, no estás solo.

Te voy a mostrar una herramienta que a mí me ha funcionado muy bien y ¿sabes cuál es?

Algo que todos poseemos pero que hemos olvidado utilizar más a menudo LA RISA.

Más adelante te mostraré cómo mi guerrera Golau superó alguno de sus obstáculos utilizando la risa.

"El mejor disolvente para los problemas".

Con la risa puedes alegrar un momento amargo. Déjame decirte que si alguien tiene un mal día y le sonríes no podrá evitar devolverte la sonrisa.

Te animo a que lo pruebes, te sorprenderá lo que descubrirás.

"La risa es la distancia más corta entre dos personas"

VÍCTOR BORGE

Hay algo que hoy en día me preocupa a la par que me sorprende. ¿Cómo pueden existir talleres de risoterapia?

¡En serio!

¿Qué está pasando con este mundo? Si algo hay que hacer, es reírse hasta de uno mismo y no tomarse las cosas tan en serio.

Enog el gato y Golau mantuvieron una larga conversación durante la oscura noche, Golau sin darse cuenta se había adentrado en el reino Oscuro.

Enog la había arrastrado hacia allí.

Se dio cuenta de que Golau inspiraba confianza y no era tan mala como su amo la había descrito.

El reino oscuro era un reino triste y sombrío, desconocían el poder de la risa. Enog gato desabrido y siempre malhumorado se sorprendió al ver cómo Golau se partía de risa al escuchar las historias que Enog le contaba sobre sus batallas, viendo cómo el gato gesticulaba narrándolas.

Enog.- ¿Se puede saber qué clase de sonido es ese?

Dijo Enog al escuchar la risa de Golau.

Golau.- ¿A qué ruido te estás refiriendo Enog?

Pregunta Golau sintiéndose algo desconcertada, pues no tenía ni idea de a qué ruido se estaba refiriendo.

Cuando cayó en la cuenta de que se trataba de la risa lo acercó al río aprovechando que había luna llena y pudiera verse reflejado en el agua.

Comenzó a hacer muecas y a reírse de sí misma y ahí Enog experimentó el poder de la risa dándose cuenta de que había sido infeliz toda su vida.

La única manera de vivir la felicidad es compartirla.

LAS RELACIONES DURAN MÁS CUANDO NOS REÍMOS JUNTOS

El psicólogo Bob Levenson, profesor de la universidad de Beckeley en California, después de estudiar el comportamiento con algunas parejas con la risa descubrió que:

Aquellas parejas que sonreían y se reían juntas dijeron estar más satisfechas con la relación y duraban más tiempo juntas.

Siempre he pensado que debemos ser los mejores amigos de nuestra media naranja, ser cómplices, pero para ello lo que te llevo diciendo desde un principio ENAMÓRATE DE TI PRIMERO.

Así que vayamos a poner fecha ya a ese compromiso ¿o tal vez piensas que no llevas suficiente tiempo de noviazgo contigo mismo? La fecha la pondremos para que comiences a ocuparte más de ti, porque eres la persona más importante, porque si no te ocupas de ti, no podrás hacerlo del todo bien con nadie.

Eres el pilar fundamental para tu vida.

Cuando experimentamos la risa, inmediatamente nuestro cuerpo segrega endorfinas las hormonas de la felicidad.

Se dice de ellas que son hasta 20 veces más potentes que los medicamentos para el dolor.

De ahí, mi querido lector, la importancia de reírnos más y mejor, de empezar a divertirnos más como cuando éramos niños.

En muchas empresas multinacionales hacen juegos en grupo con los trabajadores para fomentar el trabajo en equipo y la productividad.

Yo me dedico al sector de la belleza, y para uno de mis cursos viajé a la Península, yo soy de las islas Canarias.

Nos fuimos todos los comerciales, para la empresa que trabajaba a Segovia y fue genial, allí practicamos ese tipo de convivencia, hicimos juegos y estrategias, fue muy divertido. Al regreso me sentía mucho más motivada, ese mes superé los objetivos y tripliqué las cifras de ventas.

Si te diviertes te relajas y dejas de crear tensiones y eso hace que puedas rendir más, sentirte mejor y confiado.

¿Cuándo fue la última vez que reíste tanto que te dolía el estómago hasta que ya no podías más? Ríe, ríe ahora tan fuerte que te duela jajajajajaja bueno si te cuesta empieza con una sonrisa y continúa subiendo el nivel hasta que sueltes esa carcajada.

¿Qué bien sienta, verdad?

Es tan fácil como eso y si aun así te cuesta te propongo que veas alguna película cómica, algún monólogo del club de la comedia o que escuches algunos chistes, lo que sea pero RÍE.

Además que sepas también que LA RISA ES ATRACTIVA te haces más atrayente y seductor.

Otra de las cosas que segregan endorfinas la hormona de la FELICIDAD es practicar algo de deporte.

Tengo que confesarte que a mí me costaba horrores levantarme temprano para hacerlo, pero con el hábito ahora no necesito despertador es cuestión de acostumbrarse. Si caminas 30m diarios a paso ligero todos los días sin dejarlo durante 21 días te sentirás mejor, te lo garantizo.

Si te sientes mejor te subes la moral y te encuentras más poderoso para poder llevar mejor el día a día.

Así que viste tu mejor sonrisa y sácala a la calle a pasear, SÉ FELIZ AHORA.

Te veré en la siguiente página, gracias de nuevo por acompañarme.

EFECTO ESPEJO

Seguro que habrás leído acerca del poder que tiene el hacer ejercicios ante el espejo, pues te diré que yo lo he probado y funciona, la clave está en ser consciente de que lo que vemos en otros es lo que no nos gusta de nosotros mismos, no critiques y no serás criticado.

OCÚPATE EN TU CAMBIO

Para empezar a mejorar necesitas aprender a reconocer que es realmente lo que te molesta de ti.

Háblate y empieza a experimentar qué sientes, dime cuántas veces tienes ocasión de mirarte a los ojos y hablarte directamente. Normalmente utilizamos el espejo para el arreglo personal, cuando nos cepillamos el pelo o los dientes. Pero no nos prestamos asunto ninguno a la hora de fijarnos en quien somos realmente, no en la imagen que refleja el espejo sino en mirar a nuestro interior.

Utilizamos el espejo muchas veces para autocriticarnos nos decimos cosas como uff, qué va esta barriga hay que bajarla, mira qué gorda o qué feo me encuentro hoy, vaya cara que llevo... y no nos damos cuenta del error garrafal que estamos cometiendo tratándonos de ese modo, porque todo lo que reflejes se devuelve recuerda cómo funciona un espejo hace efecto búmeran, utilízalo para decirte cosas positivas, mímate, quiérete, no te maltrates ya lo han hecho otros lo suficiente como para que hayas bajado tanto tu autoestima que ya no recuerdes ni quién eres.

Ya no más maltratos, recuerda que te estás preparando para una gran ceremonia, para tu gran día, el día que te unas en cuerpo y alma a alguien muy importante.

¿Recuerdas?

Enaid.- Golau, dime, ¿qué ves cuando te reflejas en el río?

Golau.- Veo a una chica asustada y perdida.

Enaid.- Pues yo veo a la guerrera que eres.

Porque te miro con los ojos del alma y veo más allá de lo que ves tú.

Intenta mirarte desde el alma, aprovecha ese reflejo y di: yo soy capaz, yo soy fuerte, yo soy un ser especial.

Desde el momento en el que tú lo creas los demás lo notaremos aún más.

Tú eres el reflejo de la pureza, de la valentía, del coraje, pero a la vez eres un ser sensible y fuerte, no siempre la fuerza viene de lo físico sino en ocasiones lo acompaña la fuerza mental.

De repente se nos cruzó en el camino uno de los guerreros del ser Oscuro. Su nombre era RYM.

RYM era la fuerza, el coraje, la insensatez, el egocentrismo, un ser malvado.

Quiso enfrentarse contra Golau y en ese preciso momento comprendió lo que Med le intentaba decir sobre que la fuerza mental puede más que la física.

Un ser corpulento, pero con poca inteligencia y sin alma, estaba perdido.

Golau tomó la fuerza de RYM y le pidió que se rindiera y los acompañara.

Desde aquel preciso instante Golau comenzó a sentirse empoderada y más segura.

Y ahora continuemos el viaje hacia nuestro progreso.

CAPITULO II

REGÁLATE

Resulta gratificante recibir un regalo, cuando lo damos nos encanta ver la alegría en aquel que lo recibe.

Pues déjame decirte que la vida es un regalo que tenemos que saber aprovechar, dejémonos de quejarnos por cosas tontas y miremos lo verdaderamente importante que es VIVIR.

Cuando hayas superado algún obstáculo debes premiarte con algún pequeño detalle que te haga feliz. Date un capricho y ¿por qué no? Así subirás la autoestima.

Como toda luna de miel que se preste vamos a programar el viaje de novios para ese enlace contigo + contigo. Piensa a dónde te gustaría viajar, qué lugares visitarías, utiliza tu imaginación y sé feliz ahora con solo pensarlo. Vive ese momento ¿es quizá un crucero? Pues piensa que estás en la cubierta agarrado a la barandilla, siente la brisa marina, el calor tibio del sol dando en tu cara,

¿Puedes oler el mar?

El hecho de experimentarlo te transporta hasta el lugar y te sentirás mejor y tal vez, quién sabe, se haga realidad, todo es probar.

Lo importante es que mientras estés en tu momento de lectura te dejes llevar por lo que te cuento y que tu mente se relaje por un rato, vamos este es TU MOMENTO.

Acomódate en tu sofá o en la cama, en el lugar donde te encuentres ahora y sigamos juntos este viaje, ¿me acompañas?

"Una vez al año ve a algún lugar donde no habías estado antes."

Dalai Lama

CAPITULO III

EL VIAJE

Med, Enaid y Enog.- Vamos a llevarte, GOLAU, guerrera de la luz, a un mundo donde nadie había estado antes, viajaremos al reino de las mariposas.

Golau-. Me encantan las mariposas, son tan bellas.

Enaid.- Pues estas te gustarán aún más porque sus alas contienen el polvo de estrellas más brillantes que hayas visto jamás.

Llegaron a la ciudad de las mariposas y Golau quedó horrorizada al ver aquel paisaje tan feo y horripilante.

Golau.- Por Cariad, qué es esto, ¿dónde están las bellas mariposas?

En su lugar había millones de capullos de orugas gigantes todas envueltas en una tela viscosa y postillosa. En verdad un panorama muy desagradable.

Enaid.- Esto no era lo que quería enseñarte y ¿dónde está el polvo de estrellas de alas de mariposas?

Med y Enog llegaron en poco al encuentro de Golau y Enaid, les habían seguido a corta distancia por si las chicas necesitaban ayuda.

Med.- ¡Vaya no pensaba que aún estaba esto así!

Golau.- ¿A qué te refieres, Med? ¿Acaso sabes algo del polvo de estrellas? Tengo que conseguirlas para que mis alas crezcan y así poder elevarme muy alto, lejos de los enemigos del oscuro.

Enog.- Pues me temo que tendremos que regresar en otro momento, aún es pronto para recoger el polvo.

La guerrera, sus soldados y su amigo Enog se marcharon a un lugar cercano a esperar el momento preciso para recoger el polvo de estrellas.

Aquella noche GOLAU tuvo un inquietante sueño acerca de un compromiso con un ser un tanto extraño, soñó que contraía matrimonio con el hijo del oscuro.

LA BODA

El día de mi boda tenía que ser el día más bonito de mi vida y en cierto modo lo fue, pero como en todas las bodas que se precie siempre existe algún contratiempo.

En mi caso, mi padre no asistió a pesar de que yo insistiera en que así lo hiciera, pero no fue así.

Ese día lloré porque no entendía por qué la nueva familia de mi padre era mucho más importante que yo.

Por esa misma razón yo quería que mi matrimonio fuera perfecto, quería dar a mis hijas una familia, una unión, pero de nuevo la historia se repetía.

¿Sabías que nosotros arrastramos los errores que cometen nuestros ancestros? Las malas relaciones se heredan, como mi bisabuelo Carlos bien decía -"mi hija se heredan hasta las legañas".

Buscando respuestas a tantas preguntas sin entender nada de por qué me pasaban tantas cosas, maldiciendo muchas veces de dónde procedía, buscando quizá un culpable, he llegado a la conclusión, gracias a mi mentor, que la única culpable de mis circunstancias soy yo.

Así que dejé de sufrir tanto y empecé a respirar hondo y a decirme a mí misma:

"A seguir que no hay otra busca soluciones y no problemas".

Y así lo hice y gracias a la actitud, con la que seas capaz de enfrentar las cosas saldrás.

Porque igualmente me casé con o sin la presencia de mi padre, celebramos una boda preciosa y yo me lo pasé genial.

ACTITUD

En la vida pasan cosas para las cuales no siempre estamos preparados, pero como dije antes dependiendo de la actitud que tomemos para enfrentarlas, puedes lograr superarla en mayor o menor medida, de nada vale que cuando se te ponga por delante cualquier contratiempo salgas corriendo dando gritos y echando manos a la cabeza sin saber por dónde vas, porque cuidado, te podrás dar un golpe contra alguna pared.

Mejor será pararse frente al problema, erguirte lo más que puedas para estar lo suficientemente alto para poder superarlo.

- Deja de ser alarmista: no hagas una montaña de un grano de arena.

Agarra el problema y míralo a los ojos, busca soluciones, siempre hay una solución.

ACEPTA

Deja ir: no te aferres a las cosas, no tiene sentido prolongar un sufrimiento, cuando algo se acaba, se acaba, algo mejor te espera, eso seguro.

NO PERPETÚES

La vida es corta. Disfruta los momentos, el ahora es lo que cuenta.

DEJA DE CONTROLAR

El control te controla, piensa en esto un momento, cuando tratas de controlar el tiempo, las personas, las circunstancias, solo consigues quitarte la libertad de fluir con las cosas, te condicionas todo el rato no disfrutas de tu propia vida porque controlando otras dejas de ser libre.

"La diferencia entre el cielo y el infierno se llama CONTROL en todos sus aspectos."

SEÑALES

Cuando estoy sumida en algún asunto que necesito resolver y no encuentro el cómo, pido algún tipo de señal que me recuerde que voy por el buen camino.

Yo te puedo dar una pequeña pista de cómo reconocer una señal, por ejemplo tienes que pensar en algún objeto, sonido, animal, olor o cualquier cosa que te apetezca, escoges alguna cosa.

Ahora elige una de las cosas que haga identificar que tu deseo o petición ha sido escuchada.

Por ejemplo: te planteas que cada vez que escuches el sonido de una "campanilla", te recuerde que estás en el lugar correcto, haciendo lo que necesitas para llegar a resolver ese problema o circunstancia.

Prueba y piensa ahora mismo qué señal quieres que identifique que vas por el camino adecuado, para que cada vez que se te presente te recuerde que no estás solo.

A otras personas, sin embargo, les funciona mejor la idea de utilizar oráculos o talismanes de la suerte.

AMULETO viene del latín (*amoliri*) que significa apartar, alejar.

Los llevan para alejar el mal de ojo y por sus creencias de que algo malo les podría pasar.

O tal vez para presentarse a un examen o alguna entrevista de trabajo.

CAPITULO IV

POLVO DE MARIPOSAS

Golau.- Chicos ya ha llegado el día de regresar a por el polvo de estrellas, así que levantemos el campamento y pongámonos en marcha.

Los chicos se dispusieron a emprender su camino cuando apareció una oruga que les habló desde la rama de un arbusto.

Oruga.- Golau, tu polvo de estrellas ya está preparado para ti, puedes venir a recogerlo, pero tienes que pasar la prueba para saber si eres digna de llevarlo, ya que este te da el poder de elevarte tan alto como así lo quieras.

Golau.- ¿Una prueba, de qué se trata?

Oruga.- Cuando estés ante la mariposa suprema ella te lo explicará.

Así que se fueron a reunir con la mariposa suprema, y una vez allí quedaron maravillados con tanta belleza. Todo el paisaje había cambiado por completo, los decorados eran de colores muchos más brillantes y el brillo de las alas de las mariposas gigantes encandilaba tanto que casi no podían abrir sus ojos.

Enaid.- Golau, ya entiendo qué ha pasado aquí, las feas orugas eran estas preciosas mariposas que ahora podemos ver, solo estaban en proceso de transformación.

Golau.- Así es Enaid, pero no lo pudimos ver hasta ahora, vamos, quiero saber cómo conseguiré mi polvo de estrellas.

Llegaron ante la mariposa suprema para que le explicaran en qué consistía tal prueba.

Mariposa.- Bienvenidos a mi país, la prueba que tienes que pasar es la siguiente:

Tendrás que pasar una noche completa sin dormirte, mientras le pides a las estrellas todos tus deseos y les dejas a cambio todos tus miedos, pero cuida que los duendes de lo oscuro no los escuchen, porque los podrían guardar en sus botellas de los temores ocultos y sacarlos para ir en tu contra.

Cuando tengas tus deseos a buen recaudo guardados en la bolsa de la felicidad, me lo traes para hacerte con ellos tu polvo de estrellas que mezclaré con el polvo de alas de mariposas.

EL DOLOR TE HACE CRECER

Lo más difícil de una separación es sin lugar a dudas el estado emocional en el que te quedas, para mí en esos momentos quizá lo que fue más duro era el tener que separar de su padre a mis hijas, su mundo se divide, se desmorona como castillos de arena, entran en un estado de confusión y desconcierto brutal.

Para los padres es muy doloroso, cómo hacerles entender que la cosa no va con ellos directamente o ¿sí?, esa es la cuestión, cómo hacerlo sin que sus vidas no se vean afectadas también.

En mi caso tuve que añadir a ese dolor el hecho de que mi hija la mayor que tenía 9 años, tomara la decisión de quedarse con su padre, ella creía que yo tenía mucho que ver con el hecho de que su mundo de protección y lo que conocía en su corta edad se viniera abajo. No comprendía cómo sus padres ya no vivían juntos y que ya no volverían a coincidir en lo que hasta ahora conocía como su hogar.

Te podrás imaginar lo duro que es ver a tus hijas separadas, esta era mi situación: mi hija la mayor se queda con el padre creyendo que yo soy lo peor, unas hermanas separadas y el solo hecho de salir de esa casa sin mi hija fue tremendamente doloroso para mí.

Por mucho tiempo tuve a toda la familia en contra, me criticaban y me tachaban de mala madre por dejar atrás a mi hija, pero la verdad es que no quería obligarla a que se quedara conmigo en contra de su voluntad.

El juez en la sentencia otorgó la custodia al padre de mi hija la mayor, ya que él vivía en la casa conyugal por ser herencia de familia y que la menor quedara en mi custodia.

No te puedes imaginar el sufrimiento que siente una madre viendo crecer de lejos a tu niña. No entender el odio que siente hacia ti, cómo dos hermanas se crían separadas y donde cada reencuentro era una tortura para las tres. Tener a tu hijo en tu contra duele, el pasar noches sin darle un beso duele, que piensen que ya no lo quieres duele, pasas por un auténtico infierno y te sientes tan sola que no crees ya en nada ni en nadie. Pero quizá lo que más duela es pensar que eso será para siempre.

Este calvario duró 10 largos años, sin que mi hija conociera a su madre de verdad, nos veíamos cada 15 días y en vacaciones, pero eso no era suficiente.

Seguro pensarás y por qué no volviste con él, ¿acaso no te dolía tu hija? No fue nada fácil tomar esa decisión, ella decidió quedarse con su padre a los 3 meses de vivir conmigo estando ya separados.

Recuerdo que fue una noche de san Juan que empezamos mi hija y yo una discusión porque ella quería ir a la hoguera de san Juan que se celebra esa noche en las playas de mi isla, pero yo estaba muy cansada y no me apetecía ir.

En un momento de la discusión me empezó a recriminar muchas cosas que yo en ese momento no podía ofrecerle, como comida y más comodidades, por la situación en la que ahora nos encontrábamos.

Entonces le dije que la llevaría con el padre si conmigo estaba tan mal y así hice, al día siguiente la llevé junto a él y me fui muy enfadada, pero a las pocas horas creyendo que ya se le había pasado el enfado, al igual que a mí, pasé a buscarla y ya no quiso volver.

En cierto modo pensé que era por una rabieta que le entró, pero pasaba el tiempo y la situación no mejoraba.

Lo que quiero contarte con todo esto es que viendo cómo mi situación empeoraba por momentos, no di un paso atrás por mucho que me doliera que mi hija no quisiera volver conmigo y con su hermana, que preguntaba a todas horas que por qué su "hermanita" no venía con nosotras.

Aun así, continué hacia adelante, la vida de atrás ya no me pertenecía y no podía volver porque sería para mí una muerte en vida.

Hubiera sido más cómodo dar marcha atrás, por lo menos tenía una casa bonita con todas las comodidades, qué necesidad tenía yo de dormir en un colchón en el suelo porque era tan pequeño el sitio donde me mudó que no cabía una cama para dos, porque era lo que me podía permitir.

Claro que sería mucho mejor que las hermanas vivieran todo el tiempo juntas, darles comodidades.

Pero yo no quería una "jaula de oro" que es en lo que para mí se había convertido mi casa. No quería volver a morir en vida, quería darles a mis hijas un HOGAR, la casa ya la tuvieron.

Para mí un hogar es algo más que el edificio donde vives, y eso no se construye con ladrillos ni cemento.

Yo, aun pasando por todo el calvario, quería dar mejores cosas a mis hijas, darles mejores valores que el material, que es necesario pero en ese momento de nada me servía si no estaba basado en el amor y el respeto.

Quiero con esto decirte, querido lector, que para mí no fue fácil tomar esa decisión, para nada lo fue, pero hoy en día AGRADEZCO lo que he pasado porque me ha enseñado a ser mejor persona y a descubrir cosas en mí que no sabía que podía hacer.

"Cada final trae el regalo de un nuevo comienzo".

Solo cuando te ves con el agua al cuello aprendes a nadar, y eso hice, nadé tan fuerte como pude, para salir a flote de esa situación.

En la siguiente página te contaré cómo el llanto se ha convertido en una terapia de moda a la que llaman "lagrimoterapia", ¿curioso, verdad?. Veamos de qué trata.

LAGRIMOTERAPIA

Un estudio reciente realizado por William Frey dice que cuando lloramos crecemos, no físicamente, sino que nos abrimos a nuevos procesos evolutivos.

Se ha puesto de moda la terapia del llanto ya que recientemente se ha descubierto que las lágrimas emocionales contienen mayor concentración de proteínas.

Cuando lloramos eliminamos toxinas y por ello se libera estrés, por lo que mejoramos el ánimo.

Esto tiene su base porque al llorar se libera gran contenido de manganeso que calma el mal genio, también se libera una hormona anestesia que calma el dolor.

Por esta razón al contrario de lo que se creía sobre el llanto, se ha descubierto que al igual que la risa tiene su labor de mejorar nuestro estado de ánimos,cuando lloramos conseguimos liberar angustias y emociones.

Lo que está muy claro es que tenemos que dejar de reprimir los sentimientos y dar rienda suelta a liberar las emociones negativas, evitando así envenenar a nuestro organismo.

El mito de que los hombres no lloran ha hecho muchísimo daño, relacionando el llanto con debilidad y flaqueza.

"No es impropio el llanto en las grandes almas"

Benito Pérez Galdós

RÌE, LLORA, expresa lo que sientes, no te reprimas sal a tomar el aire fresco respira y sobretodo VIVE.

Ahora conoces los beneficios que te ofrece, ya no lo asocies más a algo negativo y a sinónimo de debilidad.

Todo esto nos lleva a pensar que por muchos malos ratos que pasemos he aprendido que todo lo pasado es para enseñarnos que existe otro mundo ahí afuera donde puedes crecer como persona, nos enseña a estar mejor preparados armándote de valor y coraje.

"Es preciso tener fuerzas para quedarse solo, pero es preciso de tener coraje para pedir apoyo"

Jorge Bucay

Cuando comienzas un camino en solitario es duro, y nos cuesta muchísimo pedir ayuda cuando la necesitamos, pero tengo que decirte que en ese camino me he encontrado con tantísima buena gente que me recordaba que no todo estaba perdida.

Me gustaría hacer una nota de agradecimiento a esas personas, para mí, como en una ocasión dije son ángeles terrenales, que aportan su granito de arena y te salvan de cualquier situación, a todos y cada uno de ellos GRACIAS.

Gracias, porque por ellos no perdí la esperanza y pude agarrarme a que el hecho de que pidas en algún momento apoyo no te hiere al ego, ya que en la humildad reside la grandeza del hombre.

Hay que entender que por muy fuertes que podamos llegar a ser en momentos puntuales tenemos que pedir ayuda, no entrando en el estado de abuso, ni de pobrecito de mí.

Simplemente debemos tender una mano al que lo necesite, pero también saber pedirla. Dejando el orgullo atrás por un momento creyéndonos dignos y merecedores de esa ayuda que nos brindan.

El ser humano está hecho para vivir en sociedad y en comunidad y se siente en peligro cuando no está acompañado.

No sé en qué punto del camino estás, no sé si ya has andado mucho o estarás en la mitad o si ni siquiera has salido a coger el aire.

Sea como fuere de donde te encuentres en tu vida me gustaría decirte que no te quedes mirando por el cristal, sal y deja que la vida te sorprenda, porque si no lo haces no solo te perderás del camino y de lo que allí te espera, sino que habrás pasado por esta vida como el que dice sin pena ni gloria.

Te recuerdo lo importante que eres para el conjunto y que una acción tuya afecta al resto, no dejes que los demás nosquedemos sin tu contribución y tú no recibas de los demás la tuya.

Sé por mi parte que gracias a que tomé ciertas decisiones en mi vida pude descubrir maravillas allá a fuera, como conocer gente maravillosa, viajar a donde no había estado nunca, mejorar la relación con mis hijas.

Pasar a estar pidiendo en Cáritas a montar mi propio negocio.

Todo es posible si hay amor en cada acto y buena intención.

DESAMOR

El desamor no es más que la falta de amor, y cuánto hay en este mundo, pero me quiero pensar y así lo decreto que aún no es no es tarde para muchos ¿lo es para ti? ¿Cuándo fue la última muestra de amor que recibiste? O diste.

Nos creemos cursis si decimos te quiero a tu amigo o suena raro decirle alguna palabra cariñosa sin venir a cuento solo porque así lo sientes en el momento.

No puedo concebir el hecho de que quieras expresar algún tipo de sentimiento afectivo y la otra persona te mire como un bicho raro o te aparte de forma que parece que apestas a perro muerto.

Estamos tan deshumanizados y tan equivocados a veces, sabes que a lo mejor cuando quieras decirlo ya es muy tarde.

Golau había pasado toda la noche en la oscuridad pensando y pidiendo a las estrellas por sus deseos y dejando allí sus temores, vio que no era la única, habían con ella 125 guerreros más que la acompañaban cada uno con sus deseos y sus temores, ninguno se conocían entre sí. Venían de distintas regiones y países y allí estaban los 126 unidos con un mismo propósito, recoger sus dones para salir luego allá fuera a sembrar polvo de estrellas y conseguir llevar un poco de esperanza a los perdidos en el reino oscuro.

LA PARTIDA

Esperanza, así se llamaba mi madre, una mujer muy sufrida y a la que costaba expresar sus sentimientos dado a que nunca recibió grandes muestras de afecto.

Es curioso cómo el nombre de una persona puede influenciar tanto a quien lo recibe. Pues ella no perdía la esperanza de que mi padre algún día la eligiera a ella de nuevo como esposa y compañera, y así pasó los años esperando algo que nunca llegó.

No esperemos a dar un beso, a dar un abrazo o decir te quiero. ¿Por qué esa manía de dar las cosas por hecho?

Llegará el momento que esa persona ya no estará más a nuestro lado y ya será tarde. Cuéntale ahora mismo lo que sientes por ella, un "me haces falta" o "gracias por estar" será más que suficiente, porque si no lo dices ahora, mañana te sobrarán las palabras.

Llegó el día y mi madre partió a la edad de 65 años, para mí estaba solo a mitad del camino. Se rindió, yo se lo noté, además claro está de su dolencia cardiaca. ¿Sabías el corazón sufre estrés?

Piensa por un momento, ¿con qué figura representamos al amor? EXACTO con un corazón y no es casualidad, porque estudios científicos avalan que la tristeza, la depresión y el desánimo afectan al corazón y todas estas dolencias son a causa de la falta de amor.

Mi madre a pesar de todo fue una gran maestra por sus virtudes y mucho más por sus errores.

Por todo lo que te cuento aquí, querido lector, no reprimas los sentimientos de AMOR para amar y ser amado.

ACARICIA

Recibir y dar un masaje es de las cosas más placenteras de las que disfrutamos los seres vivos.

En la India los bebés reciben de sus padres masajes relajantes que mejoran las relaciones y su autoestima, además los bebés que reciben masajes son menos propicios a tener enfermedades ya que el masaje segrega endorfina que hace que su sistema inmunológico aumente.

La sensación gratificante y placentera del masaje nos libera del estrés, el contacto de las manos sobre nuestra piel hace para quien lo da y lo recibe una auténtica delicia para los sentidos.

En Atlanta, Estados Unidos, un abuelo jubilado va dos veces por semana a abrazar a niños recién nacidos para mejorar su recuperación, él cuenta que son los bebés los que le están ayudando a él. Además ayuda a sus familiares dándoles apoyo.

Los seres humanos tenemos la necesidad de amar y sentirnos amados, tú puedes mejorar la vida de alguien con un pequeño gesto de amor.

Cuando fui miembro de una rondalla de música folklórica en mi isla de Gran Canaria, nos tocó visitar una residencia de ancianos. Algunos estaban tan mayores que no pudieron bajar al salón que tenían destinado para el evento, así que algunos de nosotros nos dispusimos a llevar la música a las habitaciones y a dar un rato de nuestra compañía.

No se me quitará de la cabeza a una anciana que apenas podía moverse en su cama, al ver cómo sus ojos se llenaron de emoción, al vernos allí, interpretando solo para ella una canción. En medio de la interpretación vi cómo una lágrima corría por su mejilla y a mí se me encogió el alma. En aquel momento un sentimiento de angustia me recorrió el cuerpo, pero ¿SABES QUÈ? Un tiempo después comprendí que esa lágrima no era de tristeza sino de alegría, de esperanza, habíamos llevado un rayito de luz a su cara, dando nuestra compañía y nuestro pequeño gesto la hizo sentir mejor por un instante.

Es algo tan sencillo como eso y como con algo tan simple alegramos la vida de otros.

Querido amigo lector, deseo de todo corazón que estés llevándote un regalo por cada página que leas porque están escritas desde el corazón y que te pueda aportar algo y esa es mi intención haciendo despertar en ti una parte que te haga poner en marcha un asunto pendiente y no dilatarlo más en el tiempo.

Muchas veces la vida nos pone frente dificultades que hace poner en tela de juicio nuestra fe. Y sentimos la necesidad de aferrarnos a esa creencia de que hay algo grandioso que hace nuestra vida un poco más llevadera.

Cuando mis hijas estuvieron separadas durante los 15 años en idas y venidas quincenales y en épocas vacacionales, yo intentaba buscar un sentido a la vida aferrándome a mi fe, a la mía propia, a mi dios particular.

Tenía "conferencias virtuales" y eso me hacía sentir mejor, por lo menos sentía que me escuchaba y veía reflejada en aquellas señales, que pedía que se manifestaran, para demostrarme que así era.

Tenía la convicción de que me acompañaba y con eso me sentía más aliviada.

Se manifestaba en la vecina que me ayudaba a cuidar de mi niñas, sobre todo de la pequeña, Raquel, que tenía 2 años y medio cuando la separación. Se manifestaba en el casero que me perdonaba una cuota de mensualidad porque veía lo que luchaba por sacarlas adelante y en muchísimas señales que no paraban de manifestarse.

Cierto que pasé momentos difíciles, muchos, pero gracias a mi empeño de seguir de pie de no darle el gusto a muchos de verme caer me mantuve firme y poco a poco fuimos saliendo.

Lo más difícil para mí fue descubrir que en tu propia familia estaban los lobos.

Mis peores pesadillas, y desde ahí salir sin apenas poder defenderte de sus críticas porque como bien remarqué en las páginas anteriores era la OVEJA negra.

Mis mejores aliadas para eso la paciencia y la perseverancia.

La paciencia de no entrar en debates y en conversaciones vacías de mentes pobres, y llenas de palabras necias carentes de argumento alguno. Paciencia de mantenerte al margen viendo cómo te arrancaban la piel a tiras.

Yo respiré muy hondo y dejé que el tiempo acallara sus lenguas y pusiera todo en su lugar. Que todo cayera por su propio peso.

Todo por decidir llevar mi vida como yo consideraba mejor y cortar los hilos que hasta "ayer" manejaban a su antojo.

Cuando decides vivir tu propia vida verás aparecer a los monstruos de tus pesadillas.

La perseverancia de seguir en tu camino y no querer volver a someterte a sus críticas, de hacer oídos sordos de volverte como aquella rana, cogiendo sus no "puedo" y convertirlos en vamos que SÍ puedes y lo harás.

Lo que me ha hecho salir de esa situación ha sido la capacidad de buscar salidas y soluciones, de no tirar la toalla y no dar marcha atrás por nada ni por nadie. Porque se trata de mi vida no de las suyas, y desde aquí millones de gracias por eso, ya que ese fue un condicionante a que me moviera y sacara las fuerzas de donde fuera.

Tenía clarísimo que si yo no me hacía responsable de mis circunstancias, nadie más lo haría.

CAPITULO V

EIDDIGED

Golau tenía una hermana que vivía lejos del reino de Cariad, vivía en una ciudad llamada Eiddiged, decidió marcharse de allí a vivir aventuras, guerrera solitaria que no mantenía buena relación con su hermana Golau, a Eidd, como así la llamaban, no le gustaba su hermana porque le molestaba que fuera la favorita de papá.

Enaid fue la encargada de ir a buscar a Golau, lo que iba a ser una noche se convirtió en 90 días. Ella estaba en el lugar de retiro junto con los 125, recogiendo sus bolsas de deseos y sus dones para llevarlos ante la mariposa suprema.

Mariposa.- Espero que no hayan derramado ni un solo gramo de ese polvo por el camino, porque les hará mucha falta para la misión que les encomendaré. Dádmelo para hacer una mezcla con el polvo de alas de mariposas, con ello podáis elevaros y así alejaros del suelo donde se arrastran los gusanos del oscuro.

Cuando Eidd se enteró de que su hermana estaba en el país de las mariposas para recoger su polvo de mariposa, sintió mucha envidia y quiso ir a preguntar a su padre por qué no la mandó a ella también.

Rey Dominnyd.- Bienvenida, hija mía, de nuevo a tu casa, hacía tiempo que te esperaba ¿por qué tardaste tanto?

Eidd.- No, padre, no he venido para quedarme, he venido para preguntarte cómo es que mandaste a mi hermana para recoger sus dones y a mí no me lo has dicho.

Rey Dominnyd.- Como siempre reprochando las cosas, veo que no has cambiado tu actitud.

¿Tengo que recordarte que fue decisión tuya alejarte del reino de tu padre, para aventurarte por ti misma allá fuera?, yo te mandé a buscar en varias ocasiones y cuando estabas a medio camino dabas marcha atrás porque te parecía duro y pesado llegar.

No, Eidd, no voy a permitirte más reproches porque tú has tenido las mismas oportunidades que tu hermana ¿y qué has conseguido con tu envidia y tus celos?

Eidd.- Celos, envidia, tú siempre tachándome de celosa, yo no le tengo celos a esa hija tuya, lo que me da rabia es que siempre es ella la que tiene que conseguir el mejor puesto a tu lado.

Rey.- Déjame decirte algo, hija mía, tu hermana tiene su puesto ganado por derecho, al igual que tú. Lo que pasa es que cuando tú estabas refugiada en las cuevas del monte perdido, ella estaba allá fuera librando batallas para conseguir sus dones, no escondida hasta que la tormenta pasara, **ella era la tormenta.**

Por gran fortuna en esta aventura de mi vida encontré a mi paso grandes personas que me brindaban su ayuda de forma totalmente desinteresada ¡ay, mis ángeles de la guarda!

Sin ellos este camino hubiera sido de lo más escabroso si cabe aún.

Nada se arregla desde el pánico ni la desesperación, es tarea difícil, pero no imposible mantener la calma mientras buscas una salida, una solución.

Es primordial que te relajes, RESPIRA. Deja que un suspiro de aire insufle vida a tus pulmones y que impregne de oxígeno a todas tus células.

RESPIRA, toma aire ahora y suelta todo lo que llevas dentro y te preocupa en estos momentos, y cuando espires haz que se aleje de ti ese sentimiento que te ahoga.

Además al respirar oxigenamos nuestro cuerpo por lo que la sangre lleva más oxígeno a nuestro cerebro, por lo que podremos pensar mejor y con mayor claridad ya que entraremos también en un estado de calma.

De este modo haremos frente a la situación desde un nivel mayor de autocontrol.

"¡A cada momento necesito recordarme a mí misma que he de respirar, que ha de seguir latiéndome el corazón...!"

EMILY BRONTE

LEALTAD

Es primordial que te jures fidelidad, ser fiel a uno mismo a tus principios, para mí es la base fundamental para el respeto.

Cuando somos fieles a nuestras creencias y por ello somos íntegros nos valoran aún más.

¿A cuánta gente conoces que te dicen que van a hacer tal o cual cosa y luego no la hacen o lo que es peor hacen todo lo contrario?

De ese modo vas perdiendo total confianza en ella, pues nosotros no debemos de ser menos, y mantener firmes nuestras promesas o decisiones basadas en la firmeza solo así te respetarán y verán que eres persona de fiar.

Es tan sencillo como eso si digo que lo hago lo haré.

Otro tipo de fidelidad es la lealtad que existe o debería existir entre los amigos, parejas, familia cualquier relación que se precie.

Si todos actuáramos con estas bases morales tan sencillas no tendríamos tanto dolor de cabeza.

Mi amiga de la infancia se convirtió con los años en mi cuñada, pero antes éramos más que hermanas, para mí era la relación perfecta, nos entendíamos con solo mirarnos y sin hablar conocíamos las dolencias de la otra.

Una amistad forjada en muchísimos años, pero con el tiempo cada una fue cogiendo otro rumbo y creciendo de manera muy diferente.

A mí siempre me gustó leer libros de autoayuda, me enseñaban pautas y me daban muchas veces las claves exactas para enfrentar algún contratiempo.

Y ella pues seguía con su mundo como a ella le apetecía, pero que no se salía de lo normal para nada.

A lo que quiero llegar es, queridísimo lector, que cuando te encaminas al conocimiento y al crecimiento personal, muchas de las personas que no lo hacen, no porque no quieran, es por el simple hecho de que no están preparados.

Pues cuando tú creces y evolucionas las demás cosas se van quedando atrás.

Es la sensación de si tú te preparas un viaje y te subes al tren y las otras personas se quedan en el andén.

¿Te ha pasado alguna vez? Que te embarcas en un proyecto y como los demás no lo entienden hasta se sienten incómodas y se van alejando, o bien les parece que ya no estás para ellos como antes y reclaman tu atención todo el tiempo.

Te intentan sabotear, con cosas como, "mira tú y ahora para qué quieres estudiar ", o "si ya se te pasó el arroz".

Acuérdate del cuento de la rana y sigue en lo que quiera que estés embarcado o retoma aquello que dejaste a medias y que ibas a hacer y no hiciste por miedo o desconfianza.

Por eso más que ser fiel a una persona, que también, se íntegro contigo primero.

Ya lo sabes, y si no te lo recuerdo, lo primero TÚ, vas a contraer matrimonio con la persona más importante para tu vida y tienes que ir hacia ella con el corazón limpio de inseguridades y miedos.

Volviendo a mi amiga, decirte que después de años de amistad, unos 30 para ser exactos, terminamos por nuestra amistad lo cual agradezco mucho y desde aquí le envío mis mejores deseos.

Como dije en la parte de soltar, yo solté y dejé ir, porque las cosas pasan para aprender y crecer y hoy en día me rodean mejores personas y amistades.

Ya elijo mejor en el buffet de la vida.

CAPITULO VI

LOS DONES

Enog quiso acompañar a Golau a recoger el polvo de mariposa que ya estaba preparado.

Cuando estuvo cerca de ella pudo observar como su pecho se iluminaba, como centelleantes puntitos de polvos dibujaban en su pecho unas enormes alas de mariposas. De color púrpura, verde agua y dorado. Cuando llegaron encontraron a los 125 allí delante de la suprema para recoger sus dones.

Mariposa suprema.- Habéis superado esta prueba, pero no es la única que tendréis que pasar, aquí tienen vuestros dones con ellos saldréis a librar la mayor batalla de vuestras vidas.

Sembrar este polvo de alas de mariposas en el reino del oscuro al mayor número posible de criaturas, devolvedles la visión, para que las que allí estén atrapadas, al fin puedan ver la salida.

EL BANQUETE

Amigo mio, tenemos que elegir el menú que vamos a poner en este banquete, en la boda de la vida.

Porque esta se presenta así como un gran banquete a donde todos y cada uno de nosotros estamos invitados. Pero pasa una cosa, que de tanto que ofrece ese buffet., se nos plantea una pregunta: ¿Qué podemos elegir?, pues déjame decirte que aquí, lo que quieras, no hay límites, la cuestión es qué me apetece comer.

¿Sabes ya lo que quieres? ¿Qué te apetece? Difícil, verdad, pues en la vida pasa lo mismo, no podemos escoger todo porque hay tantísimo, pero si ir escogiendo poco a poco lo que nos apetece y tener claro los pasos para conseguirlo.

Si queremos empezar por el postre puede ser tan dulce que no te va a dejar saborear el primer plato, ya sabes lo mejor, para el postre.

Otra de las cosas a tener en cuenta es que todo tiene que ser a su debido tiempo, para llegar al dulce del postre tenemos que pasar por algunos sabores amargos durante la comida.

Con la vida ya te habrás dado cuenta que pasa exactamente igual. No podrás saborear las mieles del éxito sin antes haber pasado un infierno, por ejemplo el examen de conducir, para mí fue un reto el aprender a manejar el coche, me costó mucho, pero al final tuve mi recompensa, pero antes tienes que pasar por el aprendizaje.

Clarificar es importante. Sería interesante a la par que muy aconsejable que hicieras una lista de deseos, con 101 es suficiente, seguro que piensas madre mía, tantos.

¿Y por qué no?

Cuando éramos niños no nos planteábamos si eran muchos o pocos, recuerdas la carta que le escribías a los reyes magos o a Papá Noel, dependiendo de donde seas.

Tu madre te decía desde la cocina no pidas mucho que hay más niños en el mundo y se quedarán sin regalos.

Pero ya tú habías rellenado la hoja por delante y por detrás, qué bueno es soñar y tener ilusiones ¿verdad?, pues déjame decirte que no hay límites para el banquete de la vida.

Pide, no te preocupes que hay para todos, pero te tengo que decir algo muy importante y es que al igual que cuando entras en un comercio de ropa y pides a la dependienta que te dé un tipo de prenda supongamos que se trata de un pantalón, tendrás que especificarle cómo lo quieres, porque si no corres el riesgo de que te traiga cualquier cosa.

Pues le pides la forma, el color la talla, si lo quieres con volantes, con pedrería, sencillo, con bolsillos traseros,de botón o cremallera, con pretina para el cinto o sin ella, pantalón pirata o largo... vale, vale, ya paro.

Solo quería que me entendieras, pues eso con todo en esta vida, cada cosa que tú quieras lo pedirás con todo lujo de detalles.

Y la pregunta aquí ahora sería ¿a QUIÉN? Al universo, se lo pides al universo. Para mí el universo es como una lámpara de Aladdin donde el genio te concede deseos, no es maravilloso el poder volver a soñar.

LA CIENCIA habla también de esto en la LEY de la ATRACCIÓN, seguramente habrás oído hablar de esto en el documental el secreto o en el libro de *LA VOZ de tu ALMA* del autor Lain García Calvo.

Pues esta ciencia nos habla de que todo lo semejante se atrae.

> *"Todo lo que quieres está ahí fuera esperando que lo pidas. Todo lo que quieras también te busca. Pero tienes que tomar medidas para conseguirlo".*
>
> **JACK CANFIELD.**

Pues, querido lector, estás en el camino porque este libro te dará las pautas para conseguirlo.

ATRACCIÓN

Igual que un novio o novia se prepara para la gran ceremonia,te estoy preparando para ese gran día, tienes que volverte atractivo, recuerda lo semejante se atrae, viste tu mejor sonrisa y adopta tus mejores galas en la actitud, sé positivo y aprende a divertirte; recuerda al mal tiempo buena cara, quiero decirte que esa ha sido la clave de mis éxitos.

Y ahora te preguntarás y ¿qué éxitos tengo yo? El estar aquí en este mundo ya es un éxito.

Un éxito es una salida si buscamos la definición del término latino *exitus*, se refiere al efecto o la consecuencia acertada de una acción o de un emprendimiento.

Tienes el carné de conducir, eso es un éxito, has aprobado un examen alguna vez, piensa en ellos un momento no importa lo grande o pequeño que hayan sido, son tuyos.

Y nos hacen crecer poco a poco porque nos enseña habilidades que antes no teníamos y esa consecuencia de pequeños logros en tu vida que te inspira a conseguir que cada día sea exitoso.

Levantarte de la cama con un propósito es muy alentador, necesitamos un motor un vehículo que nos mueva y que nos saque de la cama.

Que sí, que ahí se está muy calentito pero quiero que sepas que por estar metido entre las sábanas de tus dudas, de tus miedos y de los déjame un ratito más, la vida se está sucediendo ahí fuera y sabes qué es lo peor, que el tiempo no espera.

"La pereza viaja tan despacio que la pobreza no tarda en alcanzarla".

Benjamin Franklin

CAPITULO VII

LA PEREZA DE MED

Aún no se había hecho de día cuando Golau decidió emprender la marcha.

Med, que llevaba tanto tiempo inactivo, no quería ponerse en marcha tan temprano, como siempre comenzó a refunfuñar.

Med.- ¿Qué prisa es la que se te ha metido de repente, Golau?

Golau.- No voy a permitirte que me hables así, el hecho de que llevemos tanto tiempo juntos no te da el derecho de cuestionar una decisión, es más ¿sabes qué?, ya me estás cansando con tantas quejas y tanto raciocinio.

Así vamos a ponernos en marcha, todavía queda mucho por andar.

Golau.- Quiero que entiendas que las órdenes que te doy no me las tienes que discutir.

EL VEHÍCULO

En este caso déjame decirte que el vehículo ahora mismo para ti puede ser este libro maravilloso que he escrito para ti, porque en el encontrarás algunas respuestas que te llevarán a solucionar alguna cuestión en tu vida o a conocerte un poco mejor.

Sigo pensando y de hecho estoy convencida que dentro de ti hay un gran potencial por descubrir. Quiero que sepas que eres muy especial y valioso y te agradezco enormemente que leas lo que aquí he escrito desde el cariño y el respeto hacia ti.

Es importante para ti conducir tu vida a niveles de grandeza, ya que eres el responsable de ella.

Muchas veces la vida te pone a personas que te van llevando por senderos que tenías que pasar para aprender alguna habilidad que no tenías y ayudarte a crecer.

Mi propósito con este libro es ayudarte a encontrarte y a descubrir esa parte de ti que no sabías que existía y ayudarte a entender que eres capaz de conseguir todo lo que te propongas, pero para ello tienes que dar el SÍ, QUIERO.

Porque como ya sabes, querer es poder, y tú no eres menos que aquella persona que conoces y en cierto modo admiras porque ha conseguido éxitos en su vida.

Pues como yo quiero ayudarte voy a darte la clave para que consigas todo lo que te propongas en la vida.

"Todo el mundo visualiza, tanto si lo sabe como si no, visualizar es la clave del éxito."

GENEVIVE BERHREND

En muchas ocasiones me he sentido como si estuviera metida en una gran centrifugadora que no paraba de dar vueltas y de la cual salía tan desorientada que no sabía qué rumbo tomar.

Esos momentos en los que tu mundo parece venirse abajo, pero que como todo depende de ti tienes que hacer de tripas corazón y buscar la salida.

Uno de esos momentos fue cuando me separé, pero no fue el más condicionante ya que me hizo crecer como mujer, madre, hermana y amiga.

Los pequeños o grandes desafíos de la vida solo son aprendizajes, la vida es una escuela y el que no aprenda repite curso. Pero no me refiero a la reencarnación sino repetimos aquí, hasta que te quede bien claro, a veces parece que te lo graban a fuego en tus carnes para que entiendas de una vez.

Es esa sensación de por qué te pasan a ti tantísimas cosas, pues no son más que pruebas. La vida es un gran campo de entrenamiento donde pasas pruebas y tienes que hacerlo en terreno de lo más escabroso, no en un hermoso gimnasio con todas sus instalaciones con los mejores equipos de última generación.

No, señor, te entrenarás en el desierto, donde el sol pegará en tus costillas y pensarás en querer morirte es lo mejor porque ya no puedes más.

Tranquilo, no te morirás, porque se te pondrá a prueba a medida de lo que eres capaz de soportar.

Y para ello pasarás por diferentes campos de entrenamiento a lo largo de tu vida.

CAPITULO VIII

EL VALLE DE LOS CRISTALES

Para avanzar más rápido por los senderos del reino de los oscuro, Golau tuvo que utilizar su polvo de mariposa y sobrevolar algunas zonas, luego regresaba donde se encontraba el grupo y trazaba un sendero seguro por donde conducirlos a todos.

Su misión en estos momentos era poder pasar por el valle de lo oscuro sin ser vistos y ayudar a quienes le pedían ayuda.

Golau.- Chicos, he visto ruta segura por la que llegaremos a nuestro destino, pero tenemos que ir con los pies descalzos, y el terreno está lleno de cristales negros afilados como cuchillas, así que cuidado donde pisan, es un camino muy peligroso, pero nos llevará a donde queremos.

Enog.- ¿Y por qué no utilizas el polvo de mariposa para elevarnos en lugar de ir caminando?

Enaid y Med.- Sí, es cierto es de tontos pasar por ese terreno tan escabroso cuando podemos elevarnos.

Golau.- Chicos, dejad que yo consiga más polvo de

mariposa y así tener la suficiente para elevarme más alto y entonces desde arriba poder ayudaros a todos.

Cada paso que daban era más doloroso que el anterior, casi no encontraban cristales gastados por donde pisar, muchos con sus pies ensangrentados continuaban a pesar del dolor.

HOGAR

Lugar donde un individuo o grupo habita, formando en ellos la sensación de seguridad y calma.

El primer campo de entrenamiento es la familia, tu hogar. Como anteriormente me refiero a ese concepto y no al edificio físico.

Pues tengo que admitir que no todos podemos llevar ese concepto de hogar de nuestra infancia o tal vez en la adultez. En mi CASA, no existía la calma ni la seguridad o por lo menos eso es lo que yo viví.

Es primordial para el desarrollo de los niños crear ese entorno pero no siempre es así, y es ahí donde empieza el primer entrenamiento, aprender a saber lidiar con todas esas contrariedades.

Donde no existía el respeto a la intimidad, donde tu seguridad tanto económica como física se tambaleaba. Y ahí en medio de todo ese caos solo tenías una opción salir o salir.

Y es en ese preciso momento que empiezas a pararte y a mirar tranquilamente dando un paso atrás, no para retroceder sino para tomar otra nueva perspectiva de las cosas, comienzas a ordenar y a clarificar y a desechar lo que sirve de lo que no.

Dependiendo de cada situación personal, será en mayor o menor medida los recursos que adquieras para sobrellevarlo.

A veces se convierte en una pelea constante entre lo que tú deseas y lo que los demás quieren imponerte, y de ahí nace la rebeldía.

Qué daño hacemos en expresar lo que sentimos, dejarnos ser niños, adolescentes dejarnos vivir.

Para el adolescente que está en la búsqueda de su ser, con preguntas que no encuentran respuestas, es un completo infierno el sentirte tan incomprendido, cuando estás en ese proceso solo quieres aislarte y sientes que todo está contra ti.

En cierto modo me pregunto si alguna vez dejamos de serlo porque somos como "adolescentes" que en ocasiones manifestamos esas mismas reacciones con el mundo que nos rodea, no lo cuestionamos casi todo y todavía no encontramos respuestas seguimos buscando porque muy en el fondo sabemos que no lo sabemos todo.

"Solo sé que no sé nada".

SÓCRATES.

LA ESCUELA

Al principio del libro hablé sobre el absentismo escolar, pero la pregunta aquí es: ¿Qué hace que a un niño le resulte un verdadero calvario asistir a la escuela y se salte las clases?.

Otro campo de entrenamiento y muy grande, ahí no están papá y mamá para defenderte, en muchas ocasiones, te las tienes que ingeniar para salir tú solito de las circunstancias.

Por una parte está lo de clasificar y etiquetar al alumno de inteligente o tonto. Y eso basándose en que muchos genios de la historia hicieron oídos sordos y gracias a que lo hicieron.

Einstein, Thomas Alva Edison, etc…

Y otra y no menos importante el *BULLYING,* los compañeros son un papel muy importante en la vida de un niño, en la escuela puedes hacer a los mejores amigos de tu vida o a completos verdugos.

Y en este momento es crucial, el apoyo de los profesores y de tus padres, fomentando la autoestima del niño,la comunicación con nuestros hijos y saber pedir ayuda y buscarla.

En la escuela para mí tampoco fue fácil y eso con el tiempo marca tu vida y las relaciones con los demás.

Pero en la época de los 70 en mayor o menor medida todos la sufríamos, y allí comienza tu entrenamiento y comienzas a sacar tus estrategias para defenderte como cual soldado en el campo de batalla.

Pero la cosa cambia cuando se trata de tu hijo, y revives en el todo aquel sufrimiento que pasaste y con doble dolor, el que sientes como madre y el de haberlo vivido en tus carnes alguna vez.

Y ahí comienza ese "adolescente" de nuevo hacerse esas preguntas y ¿para qué pasar por tanto?, y ¿qué enseñanza saco yo de todo esto?, pues en mi caso a ser fuerte y empezar a prepararme para lo que allá fuera me esperaba, porque fuera es donde verdaderamente está la jungla.

CAPITULO IX

LA RESOLUCIÓN

El camino cada vez era más escabroso e insoportable, pero no solo por los cristales que se asomaban cortantes y punzantes, sino también por las continuas discusiones, entre Med y Ennaid.

Golau tenía que interceder constantemente para que hubiera paz y armonía, pero sobre todo para que dejasen de hacer tanto ruido y ser descubiertos por los soldados del oscuro.

Golau.- Tenéis que dejar ya de pelearos, no podremos avanzar sin que nos cortemos y además si nos descubren tendremos que utilizar polvo de mariposa y sabemos que lo necesitamos para elevarnos.

Enaid.- Lo siento, señora, de verdad es que no soporto tanta terquedad, y tan poca sensibilidad de parte de Med.

Med.- Mira quién vino a hablar, la señorita sensible que todo le parece de color de rosa, baja ya de las nubes y pon más los pies sobre la tierra.

Golau.- ¡Basta ya he dicho! No avanzaremos nada si continúan peleando. Si usaran esa energía para mejorar y aprendieran de una vez trabajar en equipo, ya hubiéramos alcanzado el monte de los espinos.

LA CALLE

La calle se convirtió en mi segunda casa, por así llamarlo. Intentaba pasar el mayor tiempo posible fuera de casa, porque no estaba dispuesta a escuchar gritos ni tenía necesidad de entrar en conflicto con mi madre.

Recuerdo salir de bien temprano a la escuela, a la que casi nunca entraba, y me iba por ahí con los amigos que tampoco querían entrar al colegio.

No me siento orgullosa de eso para nada, pero era mi supervivencia la estrategia que adopte fue la huida, y me pasaba prácticamente todo el día fuera y mis amigos comenzaron a ser como familia para mí, donde encontraba apoyo y seguridad.

EL TRABAJO

Aquí comienzas a ejercer una disciplina, y una habilidad para realizar el trabajo en cuestión, aprendes practicando.

Y empiezas a trabajar muchas veces como vehículo a conseguir dinero para subsistir. Y dependiendo del tipo de trabajo a desempeñar será más o menos llevadero. Tenemos que hacer lo que amamos o en su defecto amar lo que hacemos.

Querido lector, hazte esa pregunta ¿amas lo que haces o haces lo que amas?

Es primordial que si no te dedicas a lo que amas, hasta que te encamines a ello, ama lo que haces, ya que es ahí donde pasarás la mayor parte de tu tiempo.

Si deseas un mejor trabajo añádelo a tu lista de deseos.

A mí me funcionó, pasé de trabajar por cuenta ajena a tener mi propio negocio.

Pero no fue hasta hace nada que me decidí a poner en práctica lo que tanto tiempo estuve postergando.

No dejes que el tiempo juegue en tu contra esperando el momento, porque el momento es ahora.

"Un hombre que se atreve a perder una hora de su tiempo no ha descubierto el valor de la vida."

CAPITULO X

EL VALLE DE CRISTALES II

Descalzaron sus pies y comenzaron a andar. El calzado impedía que pudieran utilizar los dedos para agarrarse mejor a los cristales menos afilados.

Algunos cristales tenían aspecto de opacos, ya no brillaban por el desgaste y por lo tanto tampoco estaban tan afilados, el paso de, otros por aquel sendero alisó el camino, pero los nuevos eran afilados como cuchillas y presentaban un color negro oscuro pero muy brillante.

Se decía que por aquel valle habitaba Athro, el maestro, un sabio de las palabras prohibidas. Tenía el aspecto de mago de cuentos, pero en lugar de gorro llevaba una gran corona de cristales de los más brillantes que jamás se hubieran visto.

Athro.- Veo que habéis encontrado el sendero para llegar al oscuro, pero no podréis atravesarlo sin llevar el libro de las palabras prohibidas. Este libro es una guía de las palabras que quedan excluidas para poder atravesar los cristales.

Cada palabra prohibida que pronunciéis hará sacar nuevos cristales del camino, pero estos serán más cortantes que los que han visto anteriormente.

Golau.- Muy bien, maestro, denos el libro que tenemos que seguir, queda mucho por andar y la verdad no me gusta la pinta de esos cristales.

Athro.- Además, este libro les dará la clave para conseguir más polvo de mariposas, ya no tenéis que pedirlo en el reino de las mariposas. Lo podréis conseguir a medida que superen los caminos marcados, este es el de los cristales oscuros, pero hay otros caminos que tenéis que ir sorteando.

Golau.- Sí, mi padre me había hablado en alguna ocasión de esos caminos, él me ha estado preparando para la ocasión.

Med, Enaid, Enog y Golau se quedaron por un momento mirando aquel extraño libro de palabras prohibidas, de las que sobresalía la palabra MIEDO.

Med.- La verdad, para serte sincero creo que deberíamos pensar un poquito qué estrategia utilizaremos para atravesar este camino.

MAESTROS

Se dice que a lo largo de tu camino encuentras personas que te enseñan lecciones de vida, de esas que dejan huella. Y no sabes por qué, pero allí están en el momento preciso y en lugar adecuado, algunos llaman sincronicidad.

Para mí en particular los niños son grandes maestros, recuerdo a mi hija en aquel hospital, donde tantos miraban a esos niños con compasión, cuando ellos mismos no se la tenían.

No deberíamos subestimar la fuerza que tienen esos bebés.

Tengo un amigo de hace pocos años, al cual conocí donde trabajo, ocasionalmente lleva un pedazo de cartón que recorta de las cajas de la basura. Pero no se confundan, para nada vive en la calle o tiene algún tipo de necesidad económica.

Él utiliza ese trozo de cartón como instrumento musical, rasca los dedos de la mano para sacar algún tipo de sonido y así sacarse unos dinerillos para invitar a café a sus amigas como él llama.

Andrés el del cartón, como lo solemos llamar por

aquí, es un señor de unos 65 años, pero con mentalidad de niño. Admiro mucho a este hombre, siempre está alegre, nunca se queja, y cuando le preguntas, siempre está bien.

Es de ese tipo de personas positivas que andan en su mundo de niño grande y súper feliz.

Es curioso cómo la actitud que Andrés adopta con la vida le hace ser tan único y especial.

Este tipo de personas que viven en su mundo porque en realidad no prestan atención a lo que nosotros llamamos mundo consciente, viven despreocupados y ajenos a todo lo que les rodea a mí me enseña mucho, sobre cómo respondemos ante los estímulos y reacciones de los demás a veces a la defensiva olvidándonos de sonreír más y quejarnos menos, y siempre sentir gratitud por las cosas.

Pues por nuestras vidas habrán pasado muchísimos maestros dejándonos algún tipo de enseñanzas.

LOS ESPACIOS

En este caso me refiero al espacio donde te desenvuelves, en el trabajo, el coche, la casa. Debemos crear una atmósfera de armonía donde haya orden y limpieza.

Por qué es tan importante, pues por la sencilla razón de como somos dentro seremos fuera y al revés, si tu interior es un caos lo verás reflejado fuera también.

No pretendamos tener orden mental y claridad cuando no la tenemos en lo cotidiano y al revés.

Hay un ejercicio muy práctico y sencillo a la par que eficaz, se trata de coger los armarios de tu casa o cajones de la oficina y ordenarlos.

Saca toda la basura, recicla y ordena, mientras piensas que lo haces de igual modo con tus pensamientos y viejas ideas, porque solo están ocupando sitio.

¿Sabías que si no haces lugar en los espacios otro objeto no puede ocupar ese lugar? Pues si querías esa falda nueva o ese reloj, mueble o cualquier otro objeto en tu vida no va a llegar si no le preparas su espacio.

Lo curioso es que te puede servir para cualquier cosa e incluso personas. Si anhelas a esa persona en tu vida y aún no ha llegado pregúntate cómo tienes los armarios y hallarás la respuesta.

Todo en el mundo busca su espacio, hasta el dinero lo busca en tu cartera.

En una ocasión, una chica que conocí en el evento de mi mentor me pidió que le dejara un billete, ella quería mostrarme un ejercicio. En ese momento no llevaba nada encima, solo la tarjeta de crédito y cuando vio mi cartera me hizo una pregunta que me extrañó mucho.

¿Sabías que el dinero aquí no se sentiría a gusto, verdad?, está llena de facturas y recibos. Al dinero no le gusta estar ahí lleno de facturas.

Así que te aconsejo que dejes un espacio solo para el dinero, busca una cartera bonita y deja que la energía fluya mejor entre los espacios.

Feng Shui es un antiguo sistema fisiológico chino de origen taoísta basado en la ocupación de espacios, con el fin de lograr de este una influencia positiva sobre las personas que lo ocupan.

Pues funciona, el orden y la limpieza en los espacios deja fluir a la energía, como sabes todo es energía. Haciendo hueco a las cosas das paso a la entrada de cosas nuevas a tu vida.

Embellece tu entorno, como si fueras a recibir visita. Esto es otra cosa que aprendí con el tiempo, porque muchos de nosotros o tal vez a ti también te ha pasado, que solo ordenamos la casa, limpiamos el coche o cosas así cuando esperamos visita, déjame decirte que en la fiesta de tu vida tú eres el anfitrión, por eso debes de hacerlo también para ti.

Engalana tus espacios, perfúmalos y pon música. El estimular los sentidos mejora tu estado emocional.

Otra de las cosas que es muy apropiado hacer es dejar que entre luz en tu vida. Los espacios amplios e iluminados denotan recepción, te preparas para recibir y no pones obstáculos quitando, de en medio todo lo que impide acercarse a ti.

Menos es más, en el mundo en que nos movemos cada vez nos sentimos más estrechos, dejemos de agobiarnos nosotros mismos viviendo en espacios reducidos y si lo tenemos procurar ser más prácticos y evitar acumular.

Solo tenemos que dar un vistazo a nuestro alrededor y observemos qué tal van nuestras vidas, curioso, verdad, pues así es.

CAPITULO XI

LAS PALABRAS PROHIBIDAS

Cuando cruzaban el tramo final del valle de los cristales y casi se disponían a subir al monte de los espinos, Enog sintió que le temblaban hasta las garras.

Enog.- No creo que pueda atravesar ese monte, tengo un MIEDO atroz, seguro que mi pelaje queda atrapado entre los espinos.

Enog no se había percatado de que acaba de pronunciar la palabra prohibida, y de repente bajo sus peludas patas comenzaron a emerger cristales del tamaño de olas de 5 metros, formando grandes muros de cristal. El gato ahora más que nunca aterrorizado comenzó a maullar tan fuerte que el eco se hizo en todo el valle, llegando a alertar a los soldados del lado oscuro.

Golau.- Calla, gato insensato, subamos al monte de los espinos antes de que nos descubran.

Golau arrancó un pedazo de los cristales más afilados que había para utilizarlo de arma, así poder abrirse camino entre los espinos. Los espinos taponaban parte del camino haciéndolo prácticamente inaccesible para el grupo.

Med.- La que has liado, Enog, en un momento, por pronunciar la palabra prohibida. Ten mucho cuidado con lo que dices, veamos cuál es la siguiente palabra y procuremos no pronunciar.

Abrieron de nuevo el libro y de él emergió la palabra IMPOSIBLE.

PON COLOR A TU VIDA

Los colores no existirían sin luz, como sabes la oscuridad no es más que la ausencia de luz.

Los colores juegan un papel fundamental en nuestras vidas, te propongo que vayas ahora a tu armario y mires de cuántos colores está compuesto tu fondo de armario.

Si eres una persona alegre y optimista seguro que de todos los colores vivos que hayas podido encontrar en el mercado.

Ahora bien, la cosa ya cambia cuando somos más introvertidos serán colores más tendiendo a grisáceos o negros, pero no siempre es así, depende mucho del estado de ánimo con el que ese día nos acercamos al armario.

Todo esto, querido lector, nos prepara para tener un espacio agradable y armonioso donde llegar al final del día.

Y como veremos los efectos que hacen en nosotros y en quienes nos rodean. Pon flores frescas, música airea los espacios que entre aire fresco y se renueven las energías.

¿No te ha pasado alguna vez de entrar a un sitio y empezar a sentirte muy incómodo y de repente sientes que tienes que irte de ahí?

Siempre he buscado el equilibrio de las cosas, porque en mi vida no lo hubo, por eso se la importancia que tiene para el desarrollo de un niño.

Vivir en una casa de tus abuelos donde éramos 8 personas no era fácil. Mantener el orden y a veces la calma tampoco, pero no es imposible.

Emocionalmente necesitamos cuidar el entorno en todos los sentidos, te voy a hacer una pregunta: ¿Qué tipo de amistades te rodean? ¿Te hacen crecer o te critican constantemente?

Es cierto que el ser humano busca relacionarse constantemente. Pero aquí tenemos que hacer un periodo selección y filtrar lo que verdaderamente nos sirve de lo que no.

Esa selección viene condicionada al tipo de perfil que estemos buscando en las personas, pero teniendo en cuenta las aportaciones positivas que ella pueda hacer a nuestras vidas. Sería fundamental preguntarnos de vez en cuando, si nos sentimos mejores personas, cuando nos rodeamos de ellos y si nos hacen crecer y evolucionar.

Con esta selección o filtración conseguimos quedarnos con las relaciones más sanas evitando las toxicas en nuestras vidas.

Cuando hagamos limpieza de los cajones y armarios conscientes de que lo hacemos para quitarnos todo aquello que no nos vale más en nuestras vidas, veremos “mágicamente”, apartarse personas y circunstancias, dando paso a otras nuevas y mejores.

Las buenas compañías son las que te apoyan hacen que te impulses hacia arriba y puedas volar.

Si cuando estás con alguien, sientes que te ahogas, que no llegas a ser tú mismo, entonces no es la persona correcta.

Y sin embargo, si te hace sentir mejor persona, saca de ti lo bueno que hay en tu interior, te hace ser más cariñoso, creativo, en definitiva MEJOR, quédate con ella, con esa persona que te hace ser tan especial.

Pero sin olvidar que ya lo somos por esencia, solo que si además tenemos la gran suerte de tener a alguien especial también todo será mejor.

Las relaciones son importantes para evolucionar, elijamos bien a quienes queramos como compañeros de camino.

"Un hermano puede no ser un amigo, pero un amigo será siempre un hermano".

BENJAMIN FRANKLIN

MÚSICA

Otra cosa que nos hace conectar con nuestro interior es la MÚSICA, los efectos que en nosotros los seres vivos provoca es magistral. Puede transportarnos a otros lugares y épocas. Como sirve de anclaje para conectarnos con un preciso momento cuando escuchamos alguna melodía.

Quizá una nana que nos cantaba la abuela, o tal vez aquella canción que sonaba el día de tu primer beso.

Pero también hace vibrar dentro de cada uno todas las células de nuestro cuerpo.

La musicoterapia hace que el ambiente y en los que en se encuentren manifiesten una serie de estímulos según el tipo de música que se utilice.

Si queremos un ambiente relajado tomaremos música de este estilo, la música clásica es muy apropiada.

Beneficios de la música:

-Regula el nivel de hormonas relacionadas con el estrés.

-Fortalece el aprendizaje y la memoria.

-Afecta a la velocidad de las ondas cerebrales.

-Recrea recuerdos.

La música nos mejora el ánimo cambiándonos en un momento nuestro estado emocional.

"La música es la banda sonora de la vida."

Dick Clark

EL BAILE

No concibo mi mundo sin música y por lo tanto tampoco sin el baile.

Haz de tu vida una gran ceremonia, celebrémosla con una gran fiesta.

¿Recuerdas la última vez que bailaste? Si te gusta y disfrutas haciéndolo, genial, porque es maravilloso dejar que cada vibración resuene en tu cuerpo como pellizcos que hace que no puedas parar de moverte a su son.

Baila hasta que duelan los pies, ríe hasta que ya no puedas más y emociónate, si lo haces, enhorabuena, tengo una noticia para ti: estás VIVO.

Cuando te digo que te cases contigo, no lo hago con la intención de que firmes ningún documento ni cosa parecida, sino que formes el compromiso de amarte, respetarte y serte fiel para siempre.

Amarte; porque eres un ser especial y único.

Respetarte; para que infundas el respeto que te mereces, para ello tienes que tratarte bien.

Fidelidad; ser fiel a tus principios, a tu persona y siendo íntegro, recuerda, si digo, que lo hago.

Si te casas contigo con todo lo que ello conlleva ganarás la batalla de la vida porque todo empieza y acaba en nosotros.

He aprendido, amigo lector, que el poder está en nosotros, pues echemos una miradita ahí adentro a ver qué nos falta para adquirirlo.

He aprendido que lo importante es el trayecto no la llegada al destino.

Quiero decirte que no ha sido fácil pero si es posible y si lo ha sido para mí, seguro que para ti también.

En el momento que relajas tu mente y tu cuerpo, todo va cobrando sentido, empiezas a ver como todo encaja, ten paciencia.

Los cinco comenzaron a subir la gran colina para llegar al monte de los espinos, y cada vez les costaba más subir, y avanzar.

Med.-Cada vez entiendo menos el fin de esta misión, la verdad, está resultando agotadora y muy larga.

Golau.- Chicos, procuremos no hablar tanto y reservemos el aliento para subir la cuesta y así no nos costará tanto.

Enaid.- Discúlpeme, señora, creo que también iremos más ligeros si quitamos algunas cargas.

Golau.- Cierto, chicos, vaciemos aquí nuestras mochilas, si algunos habéis cogido cristales, dejadlos aquí, por favor, no tenemos la necesidad de cargar con ello. Reservaré uno para abrirnos paso entre los espinos.

Y emprendieron de nuevo la subida, esta vez más ligeros, pero miraron sin querer para ver cuánto habían subido ya y comprobaron que les seguían unos seres extraños. Y comenzaron a aligerar el paso buscando un lugar más seguro.

Enog.- Señora, tiene que ayudarnos, utilice el polvo de mariposa para elevarnos.

Golau.-No, chicos, tenemos que buscar la forma de salir de esta.

Entonces visualizó una gruta entre la falda del monte y se metieron allí.

Los seres extraños eran soldados del oscuro alertados por los maullidos de Enog, cuando se cortó con los cristales y se asustó.

Eran unos cientos, pero Golau es una gran guerrera y aunque guarecida estaba trazando un plan de defensa.

CAPITULO XII

LOS KILOS QUE SOBRAN

No, querido lector, no me refiero a la barriguita o a los muslos.

Me refiero a esos kilos que andamos cargando desde hace tiempo, esos que te impiden avanzar.

Suéltalos, déjalos atrás, deja las culpa, el miedo, la tristeza, la ira, el rencor… sabes que si no lo haces te enfermarás, literalmente eso te enferma, porque reconcome todo tu ser por dentro.

Científicamente se ha probado que ciertos estados emocionales no solo empeoran una enfermedad, sino que también las llegan a provocar.

Si mantenemos el tiempo suficiente toda esa rabia contenía o la cólera podemos causarnos una úlcera estomacal que podría derivar perfectamente en cáncer.

Los miedos dan descomposición de estómago, y como había dicho anteriormente la angustia y la tristeza enferman al corazón.

Como has podido observar, he ido dando claves y pasos para acondicionar tu mundo interno, pero también el externo.

El simple hecho de liberar cargas no solo hará que andemos más ligeros sino que además podamos dar paso a conceptos y sentimientos nuevos.

Lo de renovarse o morir tiene mucho que ver con esto, ya que si no haces una renovación de tu vida, de lo que quieres te estancas y mueres.

Para eso tenemos que ponernos en marcha y si vemos cosas que no nos gustan, dar otro rumbo al asunto y lo cambiamos sin más.

Porque, amado lector, para entrar en el vestido nuevo de tu vida tendrás que librarte de ese peso.

Sé por experiencia que a una relación no se puede llegar con cargas, frustraciones ni cosa parecida. Por qué ser egoístas y dejar que nuestra futura pareja se tenga que cargar con nuestras basuras mentales y emocionales.

Debemos ser más generosos y entregar lo mejor de nosotros y recibirlo también del otro. Por eso, queridísimo lector, la importancia de que estemos en paz con nuestro ser.

Llevo 15 años sin una relación estable, por la sencilla razón de estar en busca de respuestas y curando mi alma.

Porque he aprendido que solo en tu grandeza puedes dar lo mejor de ti, solo cuando hayas cerrado heridas, y apenas te duela.

Es como querer ponerte ropa limpia sin ducharte, de nada te sirve perfumarte si debajo no estás limpio.

Espero que entiendas lo que quiero decirte, solo intento con esto que todo, absolutamente todo, está de tu mano.

He llevado muchísimo tiempo sentimientos de culpa en mi corazón, culpa por ser una niña, qué curioso verdad, pues sí, el simple hecho de ser del género femenino a mí me ocasionó según mis creencias pasadas mucha culpa.

Sufrí de pequeña abusos sexuales de parte de alguien muy cercano y no me sentí para nada protegida.

Llegué a odiar que dijeran qué niña más linda, eso no lo soportaba, me hacía creer que por eso los señores mayores querían tocarme.

Me culpaba porque por el hecho de ser mujer tenía la obligación de las tareas de la casa y mi hermano no.

Sentía que había nacido en el sexo débil porque la única referencia que tenía era mi madre y ella era débil y sumisa, o así la veía yo.

Mis sentimientos hacia el sexo opuesto eran de rechazo, porque por muchos años me sentía como simple objeto y sometida.

Por eso comencé mi búsqueda de respuestas, para este sinsentido.

Descubrí que por mucho que busques culpables no los hay, solo responsables, y claro que yo no fui ni culpable ni responsable cuando niña, pero sí que es cierto que por creer que era débil también creía que no era digna de respeto.

Por ello te pido que perdones, primero que nada a ti, por no creerte digno, por pensar de ti que no eres fuerte, que podrías haber evitado tal o cual cosa. Lo que sea que tengas que perdonarte, perdónalo.

Estuve por mucho tiempo perdida, sin rumbo, pero siempre en el fondo de mi ser sabía que esto no era para siempre y buscaba las formas de mejorar de salir del hoy y saltaba tan alto como mis fuerzas me permitían.

Pero déjame decirte que el camino no siempre es llano como ya has podido comprobar. Que los hoyos aparecen de vez en cuando para probar tus fuerzas y para saber si lo aprendido te ha servido para algo o esta vez te rendirás.

Pero, amigo mío, yo por lo menos no pienso rendirme, ese vocablo no existe en el diccionario de mis posibilidades infinitas, y te pido que tú no lo hagas, sigue saltando hasta que te salgan alas y entonces serás libre.

Yo no pienso rendirme y ¿tú?, porque si te rindes de nada ha servido lo peleado, lo que hayas logrado hasta ahora y nos perderemos lo mejor, una vida de alegría, de amor de relaciones maravillosas, de prosperidad y de todo lo que te propongas conseguir cuando hayas despertado de tu pesadilla.

Sigue aunque duela, sigue porque detrás del dolor esta la cura.

Salta, salta tan alto hasta que emprendas el vuelo.

Si has de rendirte que sea ante la posibilidad de que no lo puedes controlar todo. En ocasiones hay cosas que se escapan a nuestro control, cuando esperas a que algo acontezca solo queda una cosa confiar en que todo saldrá bien y resignarse a que todo sucede para un propósito y que no debemos forzar las cosas.

Y esperar es la única opción en estos casos, ya conoces lo de la paciencia es la madre de la ciencia.

En la vida necesitamos a un guía, cuando pequeños eran nuestros padres guiando cada paso que dábamos y nos levantaban en ocasiones.

Pero de adulto nos encontramos en muchas ocasiones solos, pero en realidad no lo estamos. Es como esa sensación de que alguien te acompaña siempre, ese alguien es tu yo interno o si no, dime cuántas veces no te has sorprendido hablando solo y hasta tienes conversaciones contigo de tal forma que llegas hasta solucionar un problema.

Seguro que algunas, no te preocupes, no te has vuelto loco, los expertos lo confirman, hablar solo te hace más organizado, y capaz de resolver conflictos sin tener a la persona delante, muchos psicólogos lo utilizan como terapia para ayudar a enfocar lo que queremos entre otras cosas.

Esta terapia te ayudará a descargar tensiones y a serenarte antes de entrar en debate con alguien, y sin darte cuenta encuentras las respuestas a ese conflicto interno.

No te sientas un bicho raro, a muchos nos ha pasado de ir por la calle y venirte de repente un pensamiento a la cabeza y sorprenderte hablando en alto, por unos momentos miras alrededor por si alguien mira, avergonzado, sigues tu camino, pues ya no tienes por qué. Pero sería recomendable que lo hicieras en la intimidad cuando lo utilices de terapia, no vayan a creer que perdiste la cordura.

Solo quiero que comprendas que en el momento que sientas que tu mayor compromiso es contigo, que tienes que dar lo mejor de ti, y convertirte en tu mejor YO, solo entonces estarás preparado para compartir tu vida con otra persona. Hasta entonces sigamos en el camino hacia el altar.

Todo cambio conlleva un caos, cuando peor se ponen las cosas, es cuando no tienes que aflojar la marcha.

Piensa en una cosa, cuando subes la cuesta con tu coche, ¿qué ocurre si aflojamos la marcha? Exacto, se va para atrás, es entonces donde debemos de meter una marcha corta para que el motor se recoja y tenga fuerza de empuje, ¿verdad? Pues con tu vida pasa exactamente lo mismo, es como ese coche, es en ese preciso momento cuando tienes que poner más fuerza y tirar del carro. ¡FÁCIL! VERDAD, pues no aflojemos en las cuestas de la vida.

Para todo esto es importante, el rumbo que le quieres dar a tu vida, ¿eres feliz con lo que haces? O por lo contrario sientes que llevas viviendo una vida que no es la tuya y eso también pesa.

Mi madre era analfabeta, aprendió a leer y a escribir gracias a un programa de radio llamado RADIO ECA, ese programa de radio preparaba a personas que nunca tuvieron la oportunidad de asistir a la escuela. El trabajo que muchos tenían que hacer en aquella época se lo impedía, mi madre tuvo que trabajar en el campo a la corta edad de 9 años cargando cajas.

Para muchos era tarea dura, pero era la única forma de ayudar a la familia.

Pues así tuvo que aprender mi madre por radio, a la vez que limpiaba oficinas y una sala de bingo para poder mantener a sus hijos.

No lo hizo por ser más culta, sino porque lo necesitaba para aprender a conducir.

Qué quiero contarte con esto, querido lector, simplemente que seguro que en tu familia habrá auténticos héroes que sobrellevaron algún desafío, entonces, ¿por qué ves tus obstáculos como montañas? Tú no eres menos que ninguno de ellos, cuando te sientas afligido piensa en todo lo que ellos lucharon por conseguir sus logros. Y que tú por ser descendiente de ellos no vas a ser menos, si en tu árbol genealógico más cercano te cuesta encontrarlo, busca más atrás, seguro encontrarás.

Pero al igual que ellos, busca la solución, y aunque cueste, debes hacer lo posible, para HACERLO POSIBLE.

La recompensa por lograrlo es grandiosa, ya habrás tenido esa sensación alguna vez, seguro, pues hay que perpetuar esas sensaciones y seguir teniendo nuevas, para el deleite de tu ser.

Las amarguras llegan solas, llena tus labios de miel, la miel que se consigue con las cosas buenas de la vida, una ducha, un café, una buena comida, lo que quiera que te haga sentir mejor y no perjudique ni a ti ni al entorno, esto es primordial recuerda, estamos conectados y el efecto búmeran actúa para todos por igual, para bien o para mal, y en ocasiones triplicado.

"Eres libre de tomar tus DECISIONES, pero esclavo de tus CONSECUENCIAS"

Pablo Neruda

Por eso tenemos que obrar para el bien de todos y del nuestro propio. Tenemos que sembrar más amor, comprensión, alegría, compasión todo lo que este mundo necesita, querido lector, dime, ¿no crees que ya es suficiente? Para mí sí, basta de envidias, competir, analizar tanto las cosas cuando en realidad son tan sencillas como el respirar. Dejemos de forzar las cosas y que encajen en una pieza de puzle que no es.

Me gustaría que me ayudaras comentando en mi página de Facebook lo que opinas de esto que te cuento, si encuentras la clave en alguna de mis páginas que pueda ayudar a alguien especial, recomiéndale el libro o si lo prefieres saca una foto de la página seguro que necesitaba eso en ese momento, gracias de verdad por compartir conmigo este camino, te veo en el siguiente capítulo. ERES ESPECIAL, GRACIAS POR EXISTIR.

EL PODER DE LOS HIJOS

A menudo subestimamos el poder de nuestros hijos, dudando en ocasiones de sus capacidades para afrontar las situaciones por sí solos. Pretendemos llevarlos de la mano de por vida, sinceramente eso no es beneficioso para ellos.

Tratando de protegerlos, los desprotegemos de los agentes externos e internos. Me explico, de los externos tratando de evitar que se resfríen, que se golpeen, que no caigan etc... de los internos, que no les lastimen el corazón, que no les engañen, eso está bien, para los padres, pero no para ellos, los hijos tienen que experimentar el dolor, para aprender a crecer, recuerda el dolor nos hace crecer. Pero no me malinterpretes, no hablo de sufrimiento, de angustia, que no sea soportable, te hablo, queridísimo lector, de aprendizaje.

Como sabes no se puede aprender a caminar sin haberte caído alguna vez, al igual que no se puede aprender del desamor sin que te hayan roto el corazón. ¿No crees?

Sé como madre que es doloroso ver a tu hijo sufrir, pero te aseguro que es necesario, ya comenté anteriormente que también son unos maestros, unos guerreros.

Así que no subestimemos su poder, ese que les hace levantarse por sí solos si se caen, el poder de reconstruir su corazón si se lo hacen pedazos.

Ellos son unos valientes y muy inteligentes, más que algunos adultos, y practican la empatía con los demás.

Recuerdas cuando eras un niño y tus padres no te dejaban prácticamente ni alejarte de la orilla ni un metro, aún no te había llegado el agua a los tobillos y ya andaba tu madre gritando para que te alejaras del peligro.

Hay que dejar que jueguen, experimenten, que se manchen las manos, se ensucien la ropa por haberse pegado todo el día jugando en el parque con sus amigos.

También conectan de una manera sobrehumana con las madres, y se forma un vínculo muy fuerte entre ambos.

Cuando estamos pasando por una etapa de dificultades, ellos se vuelven más irascibles, irritables, incómodos.

Esto se debe, querido lector, a que nuestra energía cambia en negativo y les afecta a ellos, en realidad afecta a todo tu entorno.

Te hablé de la importancia de crear un ambiente de armonía en el hogar, pues tu estado emocional afecta también a ese ambiente.

Los niños no son menos, recuerdo en una ocasión que mi hija la mayor, cuando era un bebé, no paraba de llorar, y una chica al verme tan angustiada porque no sabía qué hacer para calmarla me dijo: ¿te has preguntado qué te pasa a ti?

En ese momento no entendía, pero claro ahora comprendo, somos un todo y estamos conectados. Por eso el estado emocional de la madre afecta al hijo.

Pero también a las mascotas, a las plantas toda esa energía concentrada se expande a tu entorno.

¿Has escuchado la reacción en cadena? Es cuando sucede un acontecimiento en un sitio y seguidamente afecta su semejante o lo que tiene al lado.

Te lo explico mejor con un ejemplo, ¿no te ha pasado alguna vez que se estropea un aparato electrónico y seguidamente se estropean varios, en corto periodo de tiempo?

Pues una posible causa es debido a eso, para que comprendas la importancia que tiene el que controlemos nuestras emociones y dejemos de interferir con el entorno.

Así que, querido lector, cuando te encuentres en esta situación párate y hazte esa pregunta: ¿qué me está pasando?

Cuando son aparatos electrónicos lo que se estropean se le relaciona a sentimientos de cólera, cuando es por tuberías, calentadores de agua o grifería, nos indican las emociones contenidas, la necesidad de llorar y sacar la tristeza de nosotros.

Todo lo que nos rodea trata de manifestarse a través de nosotros y por ello afecta a los más pequeños de la casa y a las mascotas.

La intención con la que hacemos todo en nuestra vida, determina el resultado, sabemos con ciencia cierta que lo que con amor y paciencia se hace puedes conseguir una auténtica obra de arte, sin embargo, si obramos bajo el nerviosismo y la tensión esta energía será transmitida a nuestra obra dando paso a resultados no tan gratos.

Quiero decirte con todo esto que no podemos llevar la vida que queremos, de tranquilidad, de armonía y de prosperidad si no controlamos nuestras emociones.

Podemos hacer ejercicios de respiración profunda, salir a que nos dé el aire fresco, poner música, lo que nos devuelva a nuestro estado de calma y luego continuar con lo que estábamos haciendo.

Los niños, esas almitas llenas de vida, son esponjas que todo lo absorben y sienten todo lo que pasa en su entorno, así que debemos calmarnos por su bien y el nuestro propio.

Recuerdo que Raquel, mi hija la menor, tenía 3 años, estábamos en la cocina, yo llevaba ya unos meses separada y me senté en la silla con la mirada perdida, mientras ella jugaba con sus muñecas, y de repente me mira y me dice "mami no estés triste", eso me sacó de inmediato de mi estado de *shock* y le dije que todo estaba bien que no pasaba nada.

Pero no se les puede engañar, son muy listos, por eso no debemos de tratarlos como ignorantes, puede que no sepan el porqué de las cosas, pero tienen sentimientos y esos los manejan perfectamente.

¿SOMOS AUTÉNTICOS?

Cuando llegamos a este mundo, llegamos de la mano de nuestros progenitores y cuidadores. No traemos ningún tipo de libro de instrucciones bajo el brazo, todos somos diferentes, ni siquiera los hermanos criados y educados en la misma familia se parecen entre sí, en carácter me refiero.

Pero a mí me cabe pensar que al igual que la genética interfiere en los rasgos de personalidad de cada individuo, el entorno también interfiere en la genética.

Pero de manera individual, como explicar entonces como hermanos gemelos idénticos, separados al nacer, llegan con el tiempo a no tener ningún parecido físico con el otro, o que amigos de toda la vida lleguen a parecer hermanos, sea porque visten o actúan de igual forma, porque ya sabemos que los humanos actuamos por imitación. Quizá porque pasamos tanto tiempo con esa persona, que terminamos teniendo rasgos físicos similares.

De ahí la importancia que tiene nuestras relaciones y como interactuamos con ellas, el poder que tenemos de controlar las emociones para que ellas no nos controlen a nosotros.

El cómo nos influencian y cómo influyen al resto de cosas de las que estamos rodeados.

La clave está en identificarlas, pararnos a observar por un momento qué sucede o más bien qué NOS SUCEDE para poder reaccionar a tiempo y redirigir nuestras emociones de forma positiva.

Nuestra autenticidad se basa en el conocimiento de nuestro ser, en el aprendizaje de quienes somos en realidad y lo que hemos venido a hacer en esta vida.

Durante toda la lectura te he llevado de la mano a ir descifrando cada una de estas cuestiones para que descubras conceptos quizá desconocidos de ti que no sabías que tenías, espero que este camino te esté ayudando lo deseo de todo corazón.

LA VULNERABILIDAD

Qué es lo que hace vulnerable al ser humano, una de las cuestiones es el medio en el que se desenvuelve, está claro que es más vulnerable el que se desenvuelve en terreno hostil del que no.

Y es ahí donde la fuerza del ser tiene más arraigo, para sobresalir de esa situación y salir ileso de ella. Cuando estamos en una situación de vulnerabilidad, nos encontramos bajos de energías, no estamos alerta y somos presa fácil para los depredadores.

En esta sociedad los depredadores son aquellos que vibran a una frecuencia más elevada y controlan a las más bajas.

De ahí que tenemos que elevar la energía para no caer en manos de la depresión, la frustración y demás depredadores.

En capítulos anteriores te hablé de la importancia de elevar esa energía con música, baile risas todo lo positivo que puedas adoptar para tu vida te dará las armas para defenderte de esos depredadores.

Si tú estás fuerte emocionalmente, nada podrá derribar tu fortaleza, o sea si estás bien emocionalmente consigues mantenerlos a raya.

También te he dado algunos indicativos para que identifiques esos estados de ánimos, y sepas redirigirte hacia el polo positivo.

Sabiendo tu estado de ánimo, el cómo te sientes, tendrás el control de la situación evitando que ella te controle a ti.

Recuerda, da ese paso atrás, solo para que salgas por un momento de ese estado y te haga ver con otra perspectiva y puedas comprender mejor que está pasando. ¿Seguimos...?

TENER PERSPECTIVA

Es necesario tomar perspectiva de las cosas para poder ver desde otro foco como van aconteciendo las cosas y desde ese plano buscarle una solución.

El simple hecho de apartarnos un poco o dar ese pasito hacia atrás nos hace ver con más claridad, como cuando estamos tan pegados a un objeto que nuestra mente es capaz de diferenciar de que se trata ya que se necesita ver el conjunto y focalizar mejor se verá más nítido.

Suele pasar que cuando no somos los involucrados en un problema, podemos dar con la solución con mayor rapidez y eficacia, que si somos nosotros los que vivimos el problema en primera persona.

Sería conveniente que de vez en cuando actuáramos como meros espectadores en estos casos.

Siempre tenemos la facultad de arreglarle la vida al que tenemos al lado y sin embargo no somos capaces de solucionar la nuestra del mismo modo.

Por eso te propongo este sencillo ejercicio para que tomes otra perspectiva del momento y lo puedas solucionar como lo harías para otra persona.

Como ves, siempre en rescate del otro olvidándote nuevamente de ti, de la persona más importante de tu vida y no creas que es ego, se trata sencillamente de amor propio.

Por eso es necesario que te ames, te respetes, te seas fiel y te jures amor eterno. Fundamental, lo sabes, para que los demás puedan hacerlo también.

Es maravilloso cuando comienzas a poner en práctica lo que aquí te digo y entonces ves como todo va cobrando sentido y lo que es mejor, empiezas a entender el porqué de las cosas que nos suceden la mayoría de las veces.

Por eso recuerda, relaja tu mente y tu cuerpo, repasa estas ideas que te voy dando a través de estas páginas, estos pellizcos de conciencia para que despiertes.

Solo así te harás consciente de lo inconsciente, de lo que desde hace mucho tiempo lleva dormido en ti.

Pero no es culpa tuya, llevabas tanto tiempo pensando en prepararte para el compromiso legal con otra persona.

Y nadie te había hecho mirar hacia dentro, habías oído hablar y decir cosas como la verdad está ahí fuera, pues se equivocan, llevamos toda la vida jugando al escondite con esto, la VERDAD está en TI. Solo cuando lo comprendamos seremos dueños de nuestras vidas, podremos tomar el control de las cosas.

Déjame que te ayude a cruzar al otro lado del puente entre tu vida de ahora y una nueva, donde te encuentres con tu avatar, con aquel que te dije que dibujaras para que te recordara quién eres en realidad, saca a tu avatar, muéstrate tal como eres, deja de vivir la vida de otros, sal del caparazón que te esté aprisionando ahora.

El mundo te necesita, necesita de personas auténticas, diferentes, te necesita a TI.

Podemos ser lo que queramos ser y lo que es más interesantes podremos hacer todo lo que queramos hacer, pero eso sí, hay que querer y hay que hacer.

Una vez leí que tenemos el poder de tres bombas atómicas en nuestro interior, ¿te imaginas?

Pues nos enseñan desde muy pequeños que no somos capaces, y nos limitan, cuando en realidad nosotros dibujamos nuestra historia en el lienzo blanco de la vida.

Tenemos la capacidad de soñar y hacer de esos sueños la vida que deseamos.

¿QUÉ TAL TE HA IDO EL DÍA?

Espero que te haya sido de tu agrado, o tal vez las cosas no han ido del todo como lo esperabas.

¿Sabías que todo depende de cómo lo programes? De esa forma tendrás tu día, según con los ánimos que nos levantemos y la noche que hayamos pasado.

Por eso es primordial llevar una vida dentro de lo posible serena y tranquila. ¿Para qué tanto agobio? Las cosas que han de ser serán, parémonos un poco a pensar, a recapitular.

Cojamos algo de tiempo para tener tiempo, debemos organizarnos de tal forma que nosotros también nos incluyamos en la agenda.

Y dejemos un apartado para deporte, algo de ocio, lectura, baño relajante o lo que sea que te haga sentir bien y te deje ratos de estar contigo.

Porque, querido lector, los hijos, la esposa, el esposo y las demás obligaciones pueden esperar un ratito.

Date cuenta de una cosa, si estás estresado y malhumorado, no creo que les estés ofreciendo lo mejor de ti a tu familia o amigos.

Así que mejor nos centramos en dar calidad de momentos más que cantidad, si al fin y al cabo no vamos a estar al 100% con ellos.

Estar físicamente, pero no dar lo mejor de nosotros es peor que no darlo, cuidemos nuestras vidas, nuestros momentos porque, amigo mío, esos ya no vuelven jamás.

Benjamin Franklin decía: "El tiempo perdido no se recupera nunca y cuando decimos que tenemos tiempo de sobra descubrimos siempre que nos falta tiempo.

Nada, querido lector, tiene sentido sin las cosas buenas que aprendes de ella, de lo que das y lo que recibes. Es un intercambio de valores.

No apreciamos muchas veces los pequeños detalles, que al fin y al cabo son lo que hacen las grandes cosas.

ALL YOU NEED IS LOVE

"Todo lo que necesitas es amor."

Todo el mundo necesita AMOR, que palabra más bonita, es el motor que mueve el mundo. Sin amor nada es posible, el mayor poder que existe.

Trátate con amor, te lo mereces, ámate tanto como a tu semejante, "Ama al prójimo como a TI MISMO." Aquí te lo recuerda perfectamente, no debemos de excluirnos más, si lo hacemos nosotros, entonces que no nos sorprenda que los demás no hagan lo mismo.

Cuando me vi sola con dos hijas pequeñas, y todo dependía de mí, la economía, la educación, los papeleos, todo absolutamente todo, entré en un estado de ansiedad tan grande que me enfermé, estuve mala de todo, cólicos nefríticos, muelas, estaba hecha polvo.

Una tarde estaba en casa de mi madre y cuando fui al baño noté que la parte izquierda de mi cuerpo no me respondía, solo fueron unos segundos, pero me asusté mucho, no le dije nada a nadie y al día siguiente fui al médico para que me viese.

Cuando me examinó me dio una pastilla que puse bajo mi lengua y me dijo que dejara el tabaco, que había tenido un aviso, que podría haberme dado una trombosis cerebral, madre mía, te puedes imaginar todo lo que por la cabeza me pasó en ese momento.

Sabía que todo dependía de mí, y tenía que estar sana y cuidarme más. Así que dejé el tabaco de inmediato, además para mi salud física, me venía bien para la de mi bolsillo.

En una ocasión tenía solo un euro para comprar y cuando me vi en el dilema si un paquete de leche o tabaco, ahí ya lo decidí por completo.

Por Dios, cómo puede alguien plantearse eso, y claro está compré la leche para mis hijas, quiero con todo esto, querido lector, decir que la salud es muy importante, que tú eres muy importante, que te cuides para que alejes de ti la enfermedad.

Que si tienes a tu cargo a alguien tienes que estar fuerte para poder enfrentar la vida con valor y coraje.

Yo no tenía otra opción y tomé la decisión de cuidarme en la medida de lo posible, mis hijas me necesitaban.

Los bloqueos mentales nos paralizan y no dejan que avancemos por el camino de nuestra vida.

Hay que escuchar a nuestro cuerpo ya que él se queja y nos refleja nuestra incomodidad por las cosas a través de la enfermedad.

Cuando tomamos decisiones importantes, y te crees poco digno o merecedor de obtenerlo, tu cuerpo te manda alguna dolencia que impida que lo consigas, por el simple hecho que tú así lo crees.

Pero yo no hice caso y seguí con mi vida, aun cuando seguían manifestándose en mí señales de enfermedad.

En otra ocasión estaba arreglándome para ir a trabajar y mi ojo derecho quedó totalmente a oscuras, aunque fue algo momentáneo para mí fueron siglos, experimenté la más completa oscuridad por un instante, fue la sensación más extraña que jamás había tenido. Supe por unos minutos lo que se sentía cuando pierdes la visión, sumergirte en la oscuridad absoluta algo que no se puede explicar, nada que ver con cerrar los ojos en una habitación a oscuras, sentí muchísimo miedo.

Esos pequeños pellizcos hacen que espabiles y que reacciones ante lo que acontece y que salgamos del rol de víctimas por las cosas sin importancia.

Valora lo que tienes, sé agradecido con lo que la vida te ha dado, piensa que hay casos en los que no tendrán tanta suerte como nosotros.

A veces pensamos que la vida nos tiene manía porque creemos que solo a nosotros nos pasa las cosas, pero deja que te diga que solo nosotros tenemos el poder de cambiarlo.

Cogiendo al toro por los cuernos, armándote de valor para enfrentarte a la nueva situación. En esos momentos aprendes como hacerlo, encuentras la manera y lo haces no hay de otra.

Yo decidí que tenía que estar sana, que me tenía que cuidar más y que podía hacerlo.

Pensaba en todo momento, si mi madre con 5 hijos, analfabeta y con un pasado desastroso pudo, Yo TAMBIÉN.

Y tú no eres menos que yo, coge tus bártulos échalos al hombro y tira para adelante.

A veces hay que remangarse la camiseta para meter mano al asunto y no dejar nada en manos de otros. Todo lo que tenemos que hacer nosotros es nuestro deber y obligación de gestionarlo sin pasar la pelota a otros para que lo hagan por ti.

Tenemos que tomar el timón de nuestro barco y llevarlo a buen puerto, donde las aguas sean mansas y reine la paz.

Todo en esta vida se consigue con constancia y perseverancia, sin estas dos cosas te sentirás que das dos pasos para adelante y cuatro para atrás.

No se trata de ir más rápido, se trata de persistir y de seguir en el camino. Toda montaña se empieza dando el primer paso.

CAPITULO XIII

LA HERMANA DE GOLAU

Mientras Golau y sus guerreros seguían en la ruta a pie del monte de los espinos, su hermana que había seguido las instrucciones de su padre se hallaba a mitad de camino del valle de los cristales.

Estuvo todo el tiempo perdida, aterrorizada y sentía que no era tan valiente y capaz de conseguirlo.

Ella aún no había descubierto el don tan maravilloso que se escondía tras ese miedo que la paralizaba.

Quedó atrapada entre montañas de cristales viendo su propio reflejo.

Durante días esperó allí a que alguien la rescatara. Pasado un tiempo llegó el maestro Athro.

El camino

No importa cuán largo sea el camino que tengas que recorrer. Todo se comienza dando el primer paso, dejemos de enfocarnos en el final, porque sabemos que este no se verá hasta que lleguemos a él.

Muchas veces nos agobiamos en querer conocer cómo va a terminar una relación, si llegaremos lejos juntos, si el trabajo será para mucho tiempo, si aprobaré los exámenes.

Y sabes qué, eso no importa, lo verdaderamente importante es cómo lo viviremos en el trayecto. ¿Daremos lo mejor de nosotros? Eso es lo que importa, cómo vamos a afrontar esa relación, desde el miedo a ¿qué va a pasar? Tienes que planteártelo de otro modo, por ejemplo: yo decido ser feliz dure o no la relación.

La actitud es muy importante a la hora de enfrentarnos a ciertas situaciones.

Pero sobre todo, no le tenemos que dar importancia, no me refiero a pasar del tema y que nos dé igual todo, no, me refiero al no dejar que te preocupe más que lo justo y necesario y confiar, sobre todo confiar en que todo saldrá bien.

Nos enfocamos tantas veces en lo que no tiene importancia y mientras la vida pasa sin más, amigo mío, se nos va y no vuelve, aprovéchala, respira y continuemos el viaje.

Cuando yo me vi con mis cosas metidas en mi coche, cero euros en la cartera y en mi bolsillo la llave de aquel apartamento por llamarlo de algún modo, sentía que todo era un mundo, se me vinieron miles de preguntas sin respuestas, no entendía cómo había acabado en esa situación, si eso no era con lo que yo había soñado.

Hoy sé que sí, que lo había pedido, había pedido tener una vida menos aburrida, me quejaba constantemente de mi situación y de mi marido. Todo era una queja, un lamento pero en realidad no hacía nada para que cambiara o mejorara.

Tuve que pasar por la odisea de la separación para valorarme más, pero sobre todo para crecer y sé que ha sido para el bien de todos. Aunque ha sido muy duro el camino, mereció la alegría y fue mucho lo aprendido.

Salí de mi mundo de comodidades para comenzar una vida nueva, en un lugar diferente, una casa por llamarlo de algún modo, pequeña y muy incómoda, había dejado una casa preciosa, grande con todas las comodidades y lujos.

Pero en ese preciso instante no me importaba, solo quería vivir en paz y lejos de allí. Ese rinconcito se convirtió durante un tiempo en mi refugio, solo allí sentía que tenía el control de mi vida.

No hay nada más triste que sentir que los demás deciden por ti, que no tienes voz ni voto en tu propia casa y que no controlas nada en ella.

Cuando estás solo ante las adversidades es cuando empiezas a sacar lo mejor de ti, cuando de verdad empiezas a descubrirte, es una sensación de poder que nadie te puede arrebatar, lo has logrado tú solo y nadie más, te haces fuerte y confiado.

Por eso te digo, amigo mío, que todo lo que esté en tus manos para hacer, hazlo, no dejes tu vida en manos de otros, porque perderás el control de ella y dejarás de existir.

Igualmente la vida te va preparando para ello, te va trayendo personas y circunstancias para que te enfrentes a los desafíos con las armas suficientes para vencerlos.

Es como en los videojuegos, vas pasando de nivel a medida que pasas las pruebas y en cada etapa se complica un poco, pero ya tú serás un experto de la materia y no permitirás que te eliminen.

LA FAMILIA

Cierto es que la familia es importante, pero todos sabemos que en toda familia que se precie siempre hay uno o varios miembros un tanto peculiares por así llamarlos que andan todo el rato incordiando, hay un dicho en España que dice en toda familia se cuecen habas.

Muchas veces no te sientes arropado por ellos, sino todo lo contrario te sientes como sentenciado y criticado, ya había comentado que era la oveja negra de la familia.

¿Pero cuándo te conviertes en esa oveja negra?, ya vienes con el título desde tu nacimiento, porque en mi caso, mi padre, según mi madre, bien dijo cuando la matrona le anunció que había nacido: "otra niña".

Pues crecí con ese cartelito colgado al cuello que cada vez pesaba más.

Me considero familiar, me encanta que estemos todos reunidos en una comida o simplemente para tomar café, creía que me tenían estima, pero cuando me separé, descubrí lo tradicionales que son.

Me miraban como si yo hubiera cometido algún delito, y no dejaban de indagar con qué había pasado, buscando indicios de algún tipo que les dieran argumentos para poder debatir en el café, claro está cuando yo no estuviera delante.

Además de todo lo mal que lo pasas con la situación de tu ruptura añade este ingrediente al puchero. Te sientes traicionada en tierra de lobos como diría mi mentor.

A veces la vida no te lo pone nada fácil, amigo mío, seguro que ya te habrás dado cuenta, pero es por una razón, que no vemos, cuando estamos en el centro del meollo en cuestión.

Pero mientras estás ahí tienes que tener perseverancia y mantener el tipo.

Eres oveja negra porque simplemente no encajas en su estereotipo de familia que ellos han impuesto.

Porque te niegas a convertirte en marioneta, donde ellos manejan los hilos a su conveniencia.

Te ves en ocasiones dejando que los manejen pero en tu interior sientes que no eres libre y cuando ofreces resistencia comienzan los conflictos, entonces te empiezas a cuestionar si merece la pena estar sometido a esa presión o ser libre aunque te quedes solo en el intento.

La familia te protege o te condena, por lo menos en mi caso, pero tomé la firme decisión de coger el timón de mi vida, dejando que cada uno la lleve como mejor crea.

En el preciso instante que te des cuenta de que ya no encajas en ese lugar, mejor vete, vete lo más lejos que puedas, no permitas que te avasallen, te condenen como si hubieras cometido el delito mayor de tu vida.

Igualmente la vida te apartará personas que no te hacen ningún bien para acercarte otras maravillosas, he conocido a personas extraordinarias en mi camino, personas que sin tener ningún tipo de interés hacia ti más que el de querer ayudarte de todo corazón.

Nombrarlas a todas me sería casi imposible, pero ellas saben que las llevo siempre en mi corazón.

Las buenas amistades se mantienen en el tiempo y aunque te alejes mil años luz las llevas contigo. GRACIAS, GRACIAS, GRACIAS.

Sí, es cierto que la familia puede ser un pilar importante en tu vida, pero tienes que formarla desde el respeto, la tolerancia, el amor y dar apoyo incondicional.

Sin embargo, todos sabemos que hay personas que son ajenos a la familia, pero que tú consideras como parte de ella, son esas personas que te brindan su amistad, apoyo y cariño sin pedir nada a cambio.

Por eso pienso siempre que es fundamental el sembrar cosas buenas porque la vida te devuelve esa cosecha triplicada.

LA CARRERA

La vida es como una maratón, un día te encuentras corriendo y no puedes parar de hacerlo, detrás te vienen muchas personas pegando fuerte y sientes que tienes que acelerar la marcha para adaptarte a su ritmo o te apartas para que ellos sigan su camino.

Yo he decidió seguir en el camino, no pienso volver a apartarme y ¿tú?

No es una competición o por lo menos no debería de ser así, la vida es esa carrera de fondo, es porque el tiempo juega en nuestra contra, la pasa, y no espera por nadie, tienes que ponerte en marcha o te quedarás atrás.

Todo son retos en esta vida, superar esos retos conlleva mucha energía de nuestra parte. El simple hecho de estar vivo ya es un reto.

Sin ellos nada tendría sentido, ¿no crees? Pues ahí estamos todos intentando llevar nuestras vidas lo mejor que sabemos, dando un sentido a todo lo que no lo tiene, para alcanzar nuestras metas.

En este preciso instante estoy corriendo esa maratón, intentando dejar plasmada en cada letra que escribo mi intención de hacerte llegar un mensaje.

El mensaje de que no hay instante, tú eres el instante, haces el momento con tu aportación en la vida para con los demás. Sin ti, amigo mío, nada tiene sentido. Sin que tú interfieras en algún modo en la vida de alguien.

Da igual lo rápido que puedas correr, lo lejos que puedas llegar, si llegas con las manos vacías de buena intención, por eso es importante el camino, pues de ahí recoges las enseñanzas, los milagros, todo lo bueno que puedas obtener y a cambio vas dejando otras cosas igual o mejores.

Es pasar el testigo cuando llegues a tu destino, ¿qué testigo vas a dejar tú?, ¿qué has ido cosechando a lo largo de este camino?

Piensa bien a quien te gustaría pasar ese testigo.

Me encanta la idea de pensar que mi paso por este mundo no ha sido en vano. Que mis hijas miren orgullosas la vida de su madre y digan: "mamá lo has conseguido y estamos orgullosas de ti".

Siempre he tenido el deseo de poder triunfar en la vida de tal modo que cuando vuelva a mi pueblo, cuando me vean pasar digan mira ahí va Pilar, cómo ha cambiado, qué guapa y exitosa se le ve, qué bien le ha tratado la vida.

Me encantaría, sería como ese soldado que llega triunfante a lomos de su caballo portando el estandarte del triunfo en sus manos, ya salió mi avatar GOLAU.

Creo, queridísimo lector, que todos en el fondo sentimos la necesidad alguna vez de que se reconozcan nuestros triunfos.

Por ejemplo, el actor estadounidense Morgan Freeman comenzó a ser conocido en la década de los 80, pero no fue hasta el 2004, cuando ganó su primer Oscar con la película *Millón Dollar Baby,* a los 67 años.

Quiero decir con esto, querido lector, que llegará ese día en el que todos verán en ti a ese héroe que llevas dentro, a esa persona exitosa que eres, te animo a que continúes en el camino, a que no decaigas porque lo vas a conseguir si no te apartas de él.

Recuerda estas corriendo la maratón de tu vida, NO TE APARTES, continúa en la carrera.

Y pasarás por debajo del arco del triunfo al final de ella.

Por eso es muy importante no perder el enfoque, el motivo de esta carrera de la vida no es llegar primero es disfrutarla.

Tenemos la costumbre de pensar de nosotros lo peor porque no nos creemos dignos de más. Siempre anteponemos nuestros deseos a los demás, pero hasta que no entendamos lo importante que es creer más en nosotros y de lo que somos capaces no podremos dar lo mejor de nosotros.

En esta aventura de la vida, amigo mío, tú eres el protagonista.

CAPITULO XIV

ATRHO EL MAESTRO

Cuando Athro llegó a los pies de la muchacha, este se acercó a su oído y le dijo: cuando estés verdaderamente preparada volveré a ti.

La chica, que andaba exhausta, apenas podía mirar al maestro, que le dejaba un cristal rojo en la palma de su mano y se marchó.

Eidd.- ¡Espere!, no puede dejarme aquí sola, necesito ayuda.

Pero Athro desapareció de entre las montañas de cristales dejando su reflejo solo por unos segundos en aquellas montañas, cristalizadas.

La muchacha se puso en pie como pudo y guardó aquel extraño cristal y siguió avanzando, porque de no hacerlo quedaría atrapada allí para siempre.

LA FORTALEZA

Siempre me han preguntado que de dónde he sacado las fuerzas para continuar con la lucha, yo les respondo que para mí no es una guerra en la que luchar, más bien una batalla que ganar porque desde el momento que lo hagas no vivirás en paz.

Tómate esto que es la vida como lo que es, un aprendizaje donde te vas preparando y subiendo de nivel. Donde te vuelves estratégico y más hábil.

Porque desde el preciso instante en que te tomas esto como una lucha, en eso se convierte, en una lucha constante.

Ya te habrás dado cuenta de que muchas veces no sabes de dónde, pero sacas esa fuerza necesaria para afrontar ciertas situaciones, la misma que me hizo sacar el cuello de mi hija de entre dos barrotes sin necesidad de lubricarlo, solo con mi fuerza física, para evitar que se ahogase.

También tu hogar es tu fortaleza, aquel que construyes para sentirte seguro donde eres el rey o la reina, tu fortaleza radica dentro y fuera de ti.

Los muros de nuestra fortaleza son infranqueables

para las cosas negativas como en la canción de Mercedes Sosa, deja que entre las cosas positivas.

Desde que tengo uso de razón llevo colgado el cartelito de irresponsable, una cosa que no llevaba bien eran las críticas y me dolía el hecho de saber que en el fondo no me conocían, me pasé mucho tiempo intentando demostrarles que estaban equivocados, buscaba constantemente su aprobación.

Era agotador, porque nada de lo que hiciera parecía ser suficiente y me di cuenta de que daba igual y que siempre habría alguna queja al respecto. Por lo que decidí pasar de sus comentarios y seguir con mi vida como mejor me convenía.

Eso, claro está, tuvo sus consecuencias, convirtiéndose una odisea constante.

Las fuerzas que tuve que sacar para enfrentarme a los padres de mi novio, que no me aceptaban por el simple hecho de que era hija de padres separados y no me consideraban digna para él. Esto hizo que estuviéramos dos años escondiéndonos de sus padres.

¿Por qué tenía que pagar por algo que no había hecho, acaso me conocían para tacharme de indigna para su hijo? Eso para una adolescente es duro, sabes que tu vida es un caos y estás empezando a ser consciente de las consecuencias que tienen en tu vida, pero no deja de ser injusto para ti.

Llevar toda tu vida o gran parte de ella haciendo lo que otros quieren, no es vivir tu propia vida y te aleja de tu destino convirtiendo el camino, en un calvario.

Lo que está muy claro, querido lector, que no dejes

que esas fuerzas flaqueen, sé que son las necesarias para sacarte de donde estás.

Siento, amigo mío, que después de pasar por tantas adversidades, el momento de la recompensa ha llegado.

Estoy poniendo mi granito de arena para que así sea y ayudarte a que lo logremos juntos.

No sé desde qué parte del mundo me estás leyendo, pero me encantaría conocer tu historia, porque me importas y si mis palabras pueden abrazarte, llevarte algo de luz y esperanza será para mí un regalo. Gracias por seguir aquí conmigo en cada párrafo que escribo y espero encuentres en estas líneas lo que necesites.

Quiero acompañarte en tu evolución y que me consideres una amiga, porque ya siento que te conozco un poco más.

Conozco de ti el que tengas cierto interés en los libros de autoayuda, y por eso sé de tu inquietud por encontrar alguna respuesta que pueda clarificar eso por lo que ahora estés sintiendo algún tipo de aflicción.

Te animo desde aquí a que no dejes de seguir intentándolo, que la respuesta llegará a ti en breve estoy segura.

Vamos ahora a hacer un viaje por la máquina del tiempo.

LA MÁQUINA DEL TIEMPO

Desde que vi la película de la máquina del tiempo basada en los libros de Julio Verne, sentí una gran inquietud en pensar en esa posibilidad de poder cambiar ciertas cosas de tu pasado o conocer quizá tu futuro.

En cierto modo lo hacemos, podemos viajar a nuestro pasado ayudándonos de los recuerdos y el futuro es el presente de nuestro pasado, no sé si me explico, este presente es el futuro de nuestro ayer, por lo que lo verdaderamente importante es el PRESENTE, Ya que es el que condiciona el futuro.

Por eso es muy importante que las decisiones que tomes hoy sean las más acertadas para ti y el conjunto.

Hazte esta pregunta: ¿si pudieras viajar en el tiempo qué tiempo eliges?

¿Por qué esa inquietud de querer cambiar las cosas? Quizá no lo hayamos hecho del todo bien, pero hemos aprendido la lección o estamos en ello, quizá queramos abrazar una vez más a ese ser querido que ya no está entre nosotros.

Lo que sí sé es que todo lo que podemos hacer lo tenemos que hacer ahora, si tenemos que perdonar perdonemos ahora.

No dejemos pasar las cosas por alto como si no fueran con nosotros, abracemos ahora, besemos ahora, digamos te quiero ahora. Porque mañana quizá ya sea tarde.

Por qué pensamos que si volvemos al pasado podríamos arreglar las cosas que en el presente no supiste o no te atrevías a hacer, **hagámoslo ahora.**

El tiempo pasa igual para todos, depende solo de ti cómo quieras gestionarlo, en qué quieres invertirlo para que te sea de provecho, hay que dejar de malgastarlo tontamente en cosas que no nos van a aportar nada.

Piensa y siente ahora mismo que eres ese viajero del futuro que has vuelto a solucionar algo en cuestión eso que ahora te preocupa y soluciónalo ya, no esperes a pensar mañana en ojalá lo hubiera hecho.

La vida te dará pocas oportunidades para que enmiendes una situación, el tiempo como ya te he dicho en reiteradas ocasiones corre en tu contra.

Cuantos de nosotros no hubiéramos querido volver, volver a respirar su olor, a sentir un beso, una caricia.

Creo que la mayoría, y no me refiero a ese amor que te dejó o dejaste, no, me refiero a esa persona que partió para no volver.

Se dice que todo es energía y que la energía no se acaba se transforma. Si nosotros somos energía, entonces esa energía pasa a otro plano. No nos vamos del todo.

Tendremos que ver la muerte no como el final de algo, sino como el comienzo de otra etapa, que pasamos de nivel, de uno tan alto que desde aquí no podemos ver.

Yo en particular siento que cuando estoy soñando en muchas ocasiones mi madre viene a visitarme. Hablo con ella y aprovecho todo lo que puedo esos instantes en la que ella me visita. Son en pocas ocasiones, pero yo las disfruto mucho. En esos momentos la abrazo, la beso, me impregno de su olor.

Es sabio reconocer que la ciencia también nos habla sobre el tema, y nos dice que cuando entramos en la fase del sueño en estado alfa, somos más receptivos para comunicarnos con el mundo cuántico.

Y es en ese preciso momento cuando se acercan y pueden comunicarse con nosotros, nos visitan en sueños.

Te propongo que tengas siempre una libreta y algo para escribir cerca de donde duermes, así cuando sueñes con ese ser querido y te dé algún tipo de mensaje, apuntes lo que hablaste o viste en el sueño.

Quizá en ese momento no le encuentres ningún sentido, pero créeme lo tendrá, ya se lo encontrarás, siempre llegan a nosotros con la intención de comunicarse, para advertirnos o para hacernos saber de su bienestar.

Mi amiga Eli solo tenía 20 añitos cuando falleció, una enfermedad fulminante se la llevó, fue la primera vez que experimenté la muerte en una persona joven y tan cercana. Me costaba superarlo y andaba todo el día llorando por todos lados preguntándome por qué la vida había sido tan injusta.

Hasta que una noche soñé con ella, es curioso, la veía tan feliz, que me costaba creer que fuera ella, pero eso me reconfortaba muchísimo. Recuerdo que se acercó a mí y me dijo: "no llores más, yo estoy bien" me dedicó su mejor sonrisa y se marchó, mientras yo pensaba, cómo iba a estar bien si ya no está entre nosotros.

Es gratificante saber que se pueden comunicar con nosotros, saber que están bien. También es verdad que no se manifiestan tan a menudo como quisiéramos, no es como hacer un video conferencia, pero quién sabe, algún día será posible.

En la cultura occidental aún existe tabú acerca de la muerte. El concepto de creer que todo es para siempre, el no hablar de ella como parte de la vida hace que sea más doloroso y difícil asimilar la pérdida.

En otras culturas desde muy niños este concepto está muy integrado, como parte de la vida misma; nacemos, crecemos, nos reproducimos y morimos.

Cuando mis hijas eran pequeñas y tuvieron que experimentar la pérdida de un ser querido, en este caso sus abuelos, recuerdo que cuando mi madre falleció, ellas estuvieron en su funeral y duelo, sin embargo, para el de su abuela paterna, sus tías no las dejaron entrar a despedirse.

Ellas hoy no entienden por qué no les permitieron despedirse de ella.

En México celebran el día de los muertos, se les ofrenda con comida, armas y riquezas para que pasen al siguiente plano y no les falte de nada.

En África se despide al muerto con bailes y cánticos, el lumbalú es un ritual que se practica para despedir al muerto y que pueda pasar al otro plano y no se quede en el terrenal.

Quiero que comprendas que el dolor puede llegar a ser más llevadero en la medida que comprendamos que la muerte es parte de la vida misma, no quiero con ello decir que sea menos injusto o doloroso, para el que lo vive.

Tendríamos que practicar más el desapego, confiar en el proceso de la vida.

Te voy a contar una experiencia que tuve en el quirófano del hospital materno, fue la noche que di a luz a mi preciosa hija Liliana.

Fue un parto largo de 14horas donde no lograba dilatar lo suficiente, me colocaron tres anestesias, una epidural que no hizo el efecto deseado y dos generales, bueno el caso es que de tanta anestesia se bajaron bastante mis constantes vitales y en consecuencia sufrí una parada cardiorrespiratoria.

Lo que experimenté en aquel preciso momento fue la sensación de que ya todo dolor, sufrimiento y malestar había parado. Sentí una calma absoluta algo que jamás antes había sentido, para mí era el descanso mayor y más gozoso de mi vida.

Recuerdo que pensé, esto es paz y no quiero que me despierten, también pensé si esto es lo que se experimentamos cuando nos morimos no me importaría morir hoy.

No pensé en los que se quedaban, no pensé en nada solo estaba tan feliz y sin dolor de ningún tipo que no quería que me despertaran y de hecho recuerdo que me enfadé cuando lo hicieron.

Querido lector, como ya había relatado en capítulos anteriores, la vida es un paseo y también ahora añado que venimos con horas de vida ya prefijada cuando se nos acaben nos iremos.

Sinceramente, tenemos que practicar más el desapego pero sobre todo sabernos despedir, nos cuesta reconocer el hecho de hacernos a la idea de que esa persona ya no está entre nosotros.

Cada noche, intenta ir a la cama en paz, tranquilo y sería ideal que practicaras meditación guiada, eso hará que entres en el estado alfa y puedas encontrar en los sueños esa comunicación deseada.

"No tengo miedo a la muerte, pero no tengo prisa por morir. Tengo mucho que hacer primero"

Stephen Hawking

LA PLANTILLA UNIVERSAL

Somos como una enorme empresa global, donde cada uno de nosotros juega un papel muy importante en ella, si fallamos en nuestro sector todas las demás estructuras o departamentos se ven afectadas irremediablemente, por nuestras acciones.

Seamos aquí y ahora aquello que hemos venido a ser, hagamos que no existan fronteras.

Piensa por un momento, los grandes logros de esta vida lo han hecho personas como tú y como yo, no busques a héroes con dones extraterrestres ni nada por el estilo.

Lo que ellos han logrado, las armas que han usado, "sus poderes" esos de los que crees que son extras, déjame decirte que tú también los llevas de serie, no hay truco, ¿sabes qué hay?

Hay ganas, hay perseverancia, constancia y hay él no rendirse hasta conseguir lo que se quiere.

Eso sí, recuerda que con armonía con el universo, y para el bien del conjunto.

Me parece fascinante saber que podemos hacer y ser lo que queramos en esta vida, me siento entusiasmada por conseguir mis propósitos y te animo a que lo experimentes tú también.

Si no encuentras la motivación, en este libro que debes repasar, te doy las claves para lograrlo.

Recuerda no tomarlo como un trabajo, sino como un experimento para ti, no pierdes nada con probar, pero te aseguro que sí te perderás muchas cosas buenas si no lo pruebas.

Te aconsejo que así lo hagas, el repasar con detenimiento el libro, que lo leas tantas veces haga falta hasta que cada concepto quede **grabado a fuego** en ti, así también entenderás muchas cosas de las aventuras de mi avatar GOLAU y sus acompañantes.

He querido hacer de este libro un libro donde tú participes en la aventura de mi avatar. También hacerte saber todo lo que he aprendido a lo largo de esta vida, para así poder ayudarte a entender algunas cosas que quizá desconocías.

Quiero hacerte saber que en esta vida nada es realmente lo que parece, como ya había dicho Calderón de la Barca;

¿Qué es la vida? Un frenesí.

¿Qué es la vida? Una ilusión, una sombra, una ficción,

y el mayor bien es pequeño;

que toda la vida es sueño,

y los sueños, sueños son.

Entonces, querido lector, con esta perspectiva qué es realidad y qué es ficción.

Lo que está claro es que nos han vendido bien la película esta que conocemos como vida real.

A mi entender no es todo lo que parece ni parece ser todo lo que es, que solo conocemos una parte de las historia, porque así han querido que sea.

Al creernos ignorantes de las cosas, pueden someternos a su antojo, me refiero a quienes conocen la VERDAD y de lo que hasta ahora no se sabía nada.

Y la verdad es simple, somos creadores de nuestra propia realidad, tú eres el director, productor, guionista y protagonista de tu película.

¿Qué película quieres interpretar y producir en tu vida? A que genero quieres dirigirte, al ¿del drama? O tal vez al de terror.

Elige bien y ten en cuenta que eres el creador de tu vida, cuida los detalles y siente en ti ese personaje que te gustaría para que interpretaras en el papel de tu vida.

Y aquí no se trata de ficción, te hablo de ciencia.

"**Solo nos es accesible una parcela de realidad; no sabemos el todo de nada.**"

El misterio cada vez está más cerca de resolverse, tendremos para ello que reprogramarnos, ya que los estudios nos confirman que lo que percibimos a través de los sentidos no es la realidad absoluta, sino que lo hemos aprendido.

Que nuestro cerebro nos hace ver lo que queremos ver, oler saborear, ya que para ello tuvimos que experimentarlo primero y por ello muchas de las cosas que no la hemos experimentado, igualmente aunque no las percibamos con nuestro cerebro limitado, existen, aunque no las veamos.

De aquí que nos replantemos es **¿ciencia o realidad?**

Tenemos la poca costumbre de replantearnos las cosas desde otra perspectiva, desde otro ángulo del conocimiento, creernos conocedores de todo, solo nos convierte en esclavos del sistema.

Cuando damos todo por sentado o sabido caemos en el más grande error de nuestras vidas.

Vivimos en una constante competencia, porque queremos y así nos han enseñado que hay que ser el mejor, llegar el primero, ser el más inteligente, el más guapo y muchas cosas más.

En ese bucle en el que entramos intentando destacar para ser el mejor, nos olvidamos de lo más esencial, que es precisamente eso, SER.

No se trata de ir más rápido, se trata de llegar y sobre todo de disfrutar del proceso.

No se trata de ser más inteligente, se trata de SER.

No se trata de ser más guapo, sino de llevar tu mejor perfume, tu ESENCIA.

Cuando tenemos claro quiénes somos, no sentimos que entremos en esa carrera de fondo para intentar destacar. Ya que en nuestra esencia, que es el ADN del ESPÍRITU nos hace ya especiales, diferentes y únicos.

Querido lector, siento que me comunico contigo y desde aquí siento tu energía y siento que eres ese ser especial porque estás en este mundo para hacer algo muy grande.

Desde aquí te animo a que lo hagas, pero antes hazte estas preguntas:

-¿Ayudas con ello a otras personas?

- En el proyecto ¿las personas involucradas salen beneficiadas?

Porque tener un proyecto en mente está muy bien, pero luego hay que ponerlo en marcha.

Quiero decirte que como ya sabes, la realidad la formas tú en tu vida con tus acciones, así que manos a la obra y empieza a averiguar qué necesitaría tu proyecto para empezar.

Créeme, cuando empiezas a moverte en la dirección que quieres conseguir tus sueños, aparecen los medios.

Recuerda a lo que Antonio Machado bien decía: "caminante no hay camino: solo camino al andar".

Si llevas tiempo que te ronda ese pensamiento por tu cabeza déjame preguntarte algo, ¿Qué te detiene?.

Pues si ya lo sabes no dejes pasar el tiempo en vano ya que el tiempo es oro y lo necesitarás para poder disfrutar con tu familia.

Pero si no llevas la vida que te gustaría, si vives en una MENTIRA, no podrás saborear las mieles del éxito, del tuyo propio.

Deja de dilatarlo más, "levántate y anda, Lázaro" como decía en la biblia.

LOS ANGÉLES TERRENALES

Alguien me dijo una vez, para mí fue uno de esos ángeles de los que te hablé, pues me dijo: **"nunca permitas que la vida te endurezca".** Existen personas que con pequeños gestos logran grandes cosas.

Al igual que nuestro siguiente protagonista:

James Harrison (1936) el hombre que ha salvado a millones de bebés.

La sangre de este australiano apodado "el hombre con el brazo de oro" contiene un anticuerpo muy poco habitual que se puede usar para tratar a los bebés con la enfermedad de Rhesus, un tipo grave de anemia causado por la incompatibilidad entre la sangre del feto y de su madre. Su sangre se ha usado para desarrollar una vacuna que salvará a bebés para siempre.

Quiero con ello decirte, amigo mío, que este sería un claro ejemplo de entendimiento sobre que el poder está dentro de nosotros.

Por esa razón tenemos que poner nuestros dones al servicio de la humanidad, todos tenemos "súper poderes", pongámoslos al servicio de todos.

¿Por qué no?

Seguro que conoces alguno cerca de ti, en cada uno de nosotros habita uno. Quizá ahora no lo creas así, pero tú eres o habrás sido el héroe o heroína para alguna persona sin que ni siquiera te dieras cuenta.

La verdadera heroicidad radica en hacer una acción sin pretender reconocimiento alguno por ello, es más si hacemos alguna hazaña de este tipo podríamos mantenerlo como en anónimo sería lo mejor.

Ese ser es un verdadero héroe, aquel que no busca ni espera reconocimiento.

Tampoco hace falta que aprendamos a volar, llevar capa ni nada parecido.

A veces basta con estar en el lugar adecuado en el momento adecuado.

Tener el suficiente valor para no cuestionarte las cosas y simplemente actuar, sin más.

Hace poco vi por televisión el programa de Pablo Motos "El hormiguero" un programa que se emite en la televisión española. En el programa entrevistan a personajes famosos nacionales e internacionales del mundo del cine, televisión, música etc...

Pues ese día entrevistaron a un médico español, un prestigioso cirujano valenciano Pedro Cavadas. Es popularmente conocido como "doctor milagro".

El cirujano responsable del primer trasplante de cara en España y el primero en el mundo en injertar las manos y los antebrazos a una mujer.

Este prestigioso cirujano trabaja con una fundación en África, va recogiendo pacientes en coche por las aldeas, y los opera gratis.

Es digno de admirar su desinteresada tarea, poniendo al servicio del prójimo sus dones para ayudar.

Personas así existen y merecerían un reconocimiento, claro que sí, pero como él mismo dice "creo digno el poder ayudar a personas que lo necesitan" y destina parte de su fortuna a esta labor con la fundación que lleva su nombre; fundación PEDRO CAVADAS.

CAPITULO XV

LOS DONES DE ENAID Y MED

Mientras Golau dormía en aquella gruta sus soldados salieron hacer guardia.

Durante la noche escuchaban toda clase de ruidos que hacían que permanecieran en alerta. La luna seguía redonda y gigantesca, para los muchachos aquella noche iba a ser especial.

Med.- Enaid, mira al cielo y dime qué ves.

Enaid.- Veo millones de estrellas, pero el reflejo de la luna es mayor, apenas consigo verlas en su plenitud.

Med.- cierto, cuando algo brilla más que el resto, puede deslumbrar a lo que tiene alrededor.

Enaid.- Sí, siempre y cuando brilles con luz propia.

Los muchachos estuvieron por mucho tiempo en discordia por sus diferencias, aunque Enaid tenía su parte de dulzura y se prestaba romántica, era fuerte y muy valiente.

Por lo que Med se sentía tremendamente atraído por

ella, aunque no se lo daba a conocer.

Esa noche tuvieron muchas confidencias, entre ellas sus dones para defenderse de las batallas.

Enaid armada con esferas de luz, estas esferas fulminaban todas las cosas que eran impuras ya que en la luz no hay cabida para la oscuridad.

Med por otro lado, iba armado de su lucero del alba, arma que contaba con un larga cadena atada a un mango y en su extremo un esfera de pinchos que lanzaba y este giraba a gran velocidad destruyendo todo a su paso, donde los pichos salían lanzados para quedar incrustados en sus adversarios.

BUSCANDO PROSPERAR

Buscando prosperidad, nos dejamos atrás la sensación de escasez.

Los que lo hemos experimentado sabemos que no es agradable, en mi caso yo me he visto con medio vaso de leche para dar a mi hija, y para poder hacer un biberón aumentarlo con agua, no te imaginas lo duro que para una madre supone esto.

En esos momentos te juras a ti misma que jamás volverás a vivir esa situación, cual Scarlett O'hara en la película de lo que el viento se llevó.

Así me planteé que tenía que salir de esa situación tan dolorosa, y no paré hasta conseguirlo.

En mi camino he vivido muchas experiencias positivas y algunas no tanto. Pero he aprendido que el trabajo duro es necesario pero también que no es lo único que hará salir de esa situación.

Tienes la sensación de estar pedaleando mucho pero tu bicicleta no avanza, como las estáticas de las clases de speedning.

Y es en ese preciso momento cuando comienzas a

plantearte qué es lo que estoy haciendo mal.

Y la respuesta la encontré gracias a mi mentor, que llegó a mí en el momento preciso, que como él bien dice "cuando el alumno está preparado aparece el maestro".

Tu vida es TUYA, las personas de las que te rodeas deberían de apoyarte aunque no compartan tus ideas, deben aportarte algo positivo y si no *NEXT* (Palabra del inglés que significa próximo) con esto quiero decirte que no dejemos una vez más nuestra vida en manos de otros.

También experimentaras cómo todo lo que te rodeaba se aleja y te sientes con la sensación de soledad y de vacío, pero tengo que decirte que es muy normal que pase, todo tiene que reestructurarse. Que no cunda el pánico todo va a ser para mejor.

De nada nos sirve conservar personas o dilatar las situaciones que no nos benefician.

Al igual que la mariposa sufre las transformación pasando por el proceso de la metamorfosis, nosotros también.

Merece la pena, la verdad, aunque te parezca duro e incómodo es necesario para luego disfrutar de la libertad, eso no tiene precio, te lo digo de todo corazón.

Hoy desde mi más humilde experiencia te lo puedo decir, que es mejor tener la capacidad de tomar tus propias decisiones que andar manejado en cierto modo por otros.

Formemos una escuela de talentos, un ejército de guerreros **Golau** (guerreros de luz) para dejar en este mundo un legado, mejor para los que vendrán.

Demos al mundo una razón por la que seguir, por la que volver a ilusionarse, un motivo para no rendirse, para continuar dejando algo que hacer o que decir.

Comienza hoy haciendo alguna buena acción y experimenta la sensación de bienestar que sentirás.

Recuerda con los pequeños gestos se consiguen grandes cosas.

Pensamos que quizá necesitemos hacer grandes milagros y sin embargo, no es así, solo con el pequeño gesto podremos ayudar.

Y a los hechos me remito, una sola palabra, basta para que llegue al corazón de aquel que la necesita escuchar, una sola palabra para curar una herida.

Que debemos actuar también pensando en el conjunto y así no perjudicaremos al entorno y lo que es más a nosotros mismos.

Actuar en consecuencia de que lo hacemos por el bien de todos.

"La recompensa de una buena acción es haberla hecho."

SÉNECA

Pero, amigo mío, tienes que ayudar desde el corazón, piensa que esa persona atraviesa por una situación desgarradora para ella. Que no es para nada agradable y que su dignidad nunca debería de verse dañada.

Muchas veces actuamos de manera impulsiva sin pensar en cómo se podría sentir la otra persona, debemos hacerlo con empatía.

Por mi experiencia puedo decirte que no es agradable pasar por una situación delicada, donde no hay nada en la nevera.

Es angustiosa esa situación y claro que toda ayuda es bien recibida, siempre y cuando no se vaya gritando a los cuatro vientos, para quedar como un héroe y dejar mal a la otra persona.

Por eso hay que actuar desde el corazón, y no necesariamente necesitamos un público que lo aplauda.

Cuando me separé viví un tiempo al sur de mi isla, donde parte de mi familia vive allí, en un principio estaba muy contenta porque el sur me gustaba mucho y la sensación de tener a mi familia cerca me daba cierta seguridad.

Lejos de lo que yo pensé, porque al parecer si te separas, te conviertes en una bomba de relojería que nadie quiere tener a su lado.

Separada=mujer con problemas, y poco a poco vi como me cerraban las puertas en mis narices.

No entendía nada, porque nada les pedía, yo siempre me he sacado mis castañas del fuego, pero como su imagen de mí estaba distorsionada no era de extrañar que se lo tomaran así.

Solo se mantuvo fiel a mi lado una prima a la que quiero como a una hermana, mientras los demás seguían teniendo un concepto de mi equivocado.

Poco a poco me fueron alejando de sus vidas y por mi lado fui forjando lazos de amistad con personas que fui conociendo en mi estancia allí, lazos tan fuertes que hoy esas personas ya forman parte de mi familia no carnal.

Por el simple hecho de conocer a la persona no al personaje que mi "familia" se había formado de mí.

Pero por mucho que me esforzara veía que mi situación no mejoraba del todo, encima la cosa empeoró, me quedé prácticamente sin ingresos, nada que comer ni cómo vestir a mis hijas.

Pues nadie de mi familia, hermanos ni mi madre, supieron de esto, no tenía ni el valor ni las fuerzas para contarlo.

Lloré durante días, era tan fuerte el dolor que sentía en mi pecho que me costaba respirar.

Pero no podía permitirme venirme abajo, y una vez más respiré muy hondo y seguí hacia adelante.

Gracias claro está a esas amistades que fui haciendo por el camino, gracias a mis ángeles terrenales.

El dolor tiene que ser tu impulso para hacerte salir del agujero, amigo mío, no para hundirte. Tienes que sacar la cabeza del agua y no permitir que te ahoguen, pase lo que pase saca la cabeza.

Hay situaciones donde el único que tiene el poder de hacer que algo suceda eres TÚ, así que manos a la obra y no a la cabeza.

La vida nos pone a prueba continuamente, hay una frase que me encanta y que me digo cada vez que me pasan cosas así, y dice: "Dios le da las peores batallas a sus mejores guerreros".

AGRADECER

He aprendido que cuando agradeces lo que tienes, en camino vienen cosas mejores y mayores para ti.

Pero si no lo agradeces esas cosas las perderás por la sencilla razón, que cuando no lo eres porque quizá no las mereces.

Es la ley de dar y recibir, si das la gracias por lo que tienes recibirás más.

Ahora quiero contarte una historia sobre la gratitud espero que te guste:

Un joven solicitó un puesto gerencial en una empresa de gran tamaño. Pasó la entrevista inicial y después tuvo una junta con el director general.

El director descubrió en el currículum que los logros académicos del joven eran excelentes. Le preguntó: ¿lograste obtener becas en tu escuela? A lo que el joven contestó, "no".

¿Entonces tu papá pagaba las clases?

Mi papá falleció cuando yo tenía un año; fue mi madre la que pagó las facturas. Respondió.

¿Dónde trabaja tu madre?

Mi madre es lavandera.

El director pidió al joven que le mostrara sus manos. El joven mostró un par de manos perfectamente suaves y lisas.

¿Alguna vez ayudaste a tu madre a lavar la ropa?

Jamás, mi madre siempre prefirió que yo estudiara y leyera.

Además, ella lava la ropa más rápido que yo.

Entonces, el director le dijo: "te tengo un encargo: cuando vayas hoy a casa, limpia las manos de tu madre y ven a verme mañana."

Cuando volvió a casa le pidió a su madre que le dejara limpiar sus manos. Su madre se extrañó. Le dio gusto, pero con sentimientos encontrados mostró sus manos a su hijo.

Lentamente, el joven limpió las manos de su madre. Las lágrimas bañaron su rostro mientras lo hacía.

Era la primera vez que notaba que las manos de su madre estaban muy arrugadas y llenas de moratones.

Algunos le dolían tanto, que su madre hacía el gesto de dolor cuando él los tocaba.

Esa fue la primera vez que el joven se dio cuenta de que esas manos lavaron ropa diariamente para que él pudiera ir a la escuela. Las heridas fueron el precio que ella pagó por la educación y el futuro de su hijo.

Al terminar de lavar las manos, el joven silenciosamente lavó el resto de la ropa de su madre.

A la mañana siguiente, el joven se presentó en la oficina del director.

El director notó las lágrimas del joven cuando le preguntó: ¿podrías decirme qué aprendiste ayer en tu casa?

Ahora sé lo que es el aprecio. Sin mi madre, no sería el hombre que ahora soy. Al ayudarla, aprendí lo difícil y duro que es tener tus propios logros. Y ahora aprecio la importancia y valor de ayudar a la familia.

El director le dijo: "esto es lo que busco en un gerente. Quiero reclutar a una persona que valore la ayuda de otros, una persona que conozca el sentimiento de los demás para lograr las cosas y que el dinero no sea el único valor en su vida".

Esta es también en parte lo que yo pretendo para la humanidad crear un ejército de **guerreros Golau**.

¿ES LO MISMO OÍR QUE ESCUCHAR?

Por supuesto que no, tenemos la mala costumbre de dejar entrar en nuestra mente todo lo que nos entra por los oídos. Pero permíteme decir te que hay que aprender a filtrar bien la información que nos llega del exterior.

Debemos utilizarla de forma positiva y que nos aporte algo para nuestro bienestar y dejar de intoxicarnos con la basura.

Pero lo peor no es lo que escuchamos porque en ocasiones no podemos evitar escuchar lo, sino lo que hacemos con esa información.

De nosotros depende si lo aceptamos como válido o no, para ello tenemos que escuchar a nuestro cuerpo. ¿Cómo te sientes cuando escuchas una noticia desagradable? Imagino que no muy bien, pues en ese caso, elige que no te den malas noticias, o decide oírlas, pero no escucharlas.

Me refiero que en ocasiones las malas noticias vienen dadas por sucesos a los cuales nosotros no podemos poner remedio, por como la misma palabra indica ya sucedió, entonces si estas hacen que nos sintamos mal, elegimos no escuchar.

Lo mismo ocurre con los chismes, no entres en chismorreos de patio de vecinas, eso no te lleva a solucionar nada, es más ¿ya solucionaste ya tus propias cuestiones para andar arreglando las de los demás?

Nos pasa que a veces queremos solucionar la vida de otros, pero no nos damos cuenta de que quizá la nuestra necesita de más atención.

Dejemos que cada cual arregle sus asuntos propios, que lave sus propios trapos sucios y entonces cuando todos consigamos hacer lo mismo la cosa irá mejor.

Pero antes de solucionar el mundo allá fuera sigamos con nuestro mundo interno.

Tenemos que echar un vistazo a nuestro alrededor, ¿cómo están tus asuntos familiares, los del trabajo, tus relaciones?

Seguro que hay mucho por hacer, entonces dejemos que nuestros semejantes se ocupen de lo suyo y nosotros a lo nuestro.

Oír no es lo mismo que escuchar, cuando oímos se dice que percibimos sonidos por el oído y solo escuchamos cuando a lo que se oye se le presta la atención.

Entonces no prestemos atención a todo lo que se nos dice, para así no contaminar nuestra mente con palabras o información tóxica que no nos valdrá de mucho o de nada básicamente.

De ahí que aprendamos a filtrar esa información, de la que es válida a la que no nos va a aportar cosas positivas o de gran utilidad.

Cojamos esa energía para limpiar los rincones de nuestras casas, para tratar de ponerla bella, llenarla de luz, de flores frescas y de amor, me refiero claro está a nuestro hogar nuestro mundo interior.

No pretendo con ello decirte qué tienes que hacer con tu vida, para nada pretendo eso, solo quiero que te des cuenta de que muchas veces andamos despistados con lo que los demás, si lo hacen bien o mal.

Y no nos damos cuenta que eso solo nos distrae de nuestros verdaderos propósitos en la vida, en conseguir nuestros sueños, en lograr nuestras metas.

Mi propósito para con los demás es ayudarlos a que no se despisten, quiero ser el puente que les ayude atravesar ese camino, acompañándolos, si hace falta llevarles de la mano para que se sientan más acompañados, estoy muy agradecida de que me hayas permitido hacerlo, GRACIAS de todo corazón.

Ahora mismo estás en mitad del camino de despertar de la mentira que te han contado a lo largo de tu vida.

Esa mentira en la que te decían que no sería posible encontrar esa salida, que tú solo no lo lograrías, que nada podrías hacer desde tu situación, pero deja que te diga que se equivocan, cuando eres capaz de ver que las cosas no son lo que parecen, cuando dejamos de contaminarnos con basura de afuera, entonces comenzaremos a darnos cuenta que todo fue un mal sueño una auténtica pesadilla.

Comenzamos a sentir verdadero alivio, cuando empezamos a ser cocientes de la verdadera realidad.

Y esa la empezaremos a construir de forma sólida, cuando nos demos cuenta de que somos los arquitectos y aparejadores de nuestro proyecto de vida.

Pensemos por un momento de qué material están hechos nuestros sueños, tal vez de ¿hormigón?, ¿quizá de arena? Porque de eso depende la solidez de nuestro futuro más cercano.

A lo largo de este libro te he ido dejando materiales sólidos para que puedas edificar tu fortaleza, tu reino.

Pero tienes que hacer buen uso de esos materiales, y colocarlos de forma que vayamos forjando cada uno de las piedras que luego formarán las paredes.

No nos olvidemos de esos cimientos, ¿son profundos los tuyos?

Es bien sabido la importancia de unos cimientos profundos y sólidos para que la estructura no se nos venga encima, por eso hay que profundizar para que lo que coloquemos encima no se nos venga abajo, o para que el soplido de una viento no nos lo derribe con facilidad.

Los cimientos de nuestra vida vienen representados por las bases, los valores recibidos en nuestra infancia, todo lo que aprendimos y vivimos, pero también por lo que vamos adquiriendo a lo largo de nuestras vidas.

Bien porque lo hemos aprendido de nuestros padres, escuela, amigos, etc.

Como hemos visto anteriormente, pero es de vital importancia el saber qué vamos a hacer con toda esa información, y aprender a gestionarla de forma correcta.

Imagina que estás ordenando un cajón, empiezas seleccionando, clasificando y lo que es más importante, desechando.

Pues lo mismo haremos con la información que vayamos recibiendo, lo haremos con los siguientes pasos:

- **Filtramos**: Nos quedaremos solo con información válida.
- **Seleccionamos**: Aquí escogemos la de uso preferente.
- **Clasificamos**: Según el empleo que hagamos de ella.
- **Desechamos**: Desintoxicamos nuestro cuerpo y alma.

Una vez sepamos las estructura con la que vamos a gestionar nuestra información podremos también con ella gestionar nuestras emociones al respecto.

Saber reconocer lo que sentimos, que sensaciones manifestamos, según qué información recibimos, por ejemplo hay veces que nos hablan de que un amigo se fue a esquiar a la sierra y sin darnos cuenta sentimos el frío que pueda hacer en la sierra, o que tu amiga te habla desde el chiringuito de la playa y te parece oler esa paella para cinco o te viene el sabor de la cerveza fresquita a tu boca de repente.

Pues no somos conscientes de cómo reacciona nuestro cuerpo a esos reflejos del exterior hasta que no te lo hacen ver, ¿CIERTO?

Pues eso nos pasa constantemente, te llega información del exterior y tu cuerpo es un órgano reflejo, y reacciona ante el estímulo.

Por eso lo de la selección de la información que entre en tu mente es muy importante para que tengas más calidad de vida.

Aquel que quieres para ti y los tuyos, donde tú decides quién habita en él y quién no.

¡Qué bien VERDAD!, cuando eres tu quien dirige tu vida, quien propone y quien dispone, el que da color a los decorados en definitiva el dueño y señor de tus sueños y realidad.

Ya sabes que esa actitud no te lleva a nada, entonces cambiemos el "chip", y demos un giro nuevo a estos acontecimientos.

¿Qué es lo que te molesta? CÁMBIALO. Sí, no hay de otra, de que te ha servido lamentarte hasta ahora, seguro que de nada.

Si tú no le pones solución nadie lo hará por ti, es tu deber el poner tu vida en orden, piensa que cada uno está haciendo lo mismo con la suya.

Es de gran importancia que cada uno de nosotros ocupemos nuestro tiempo y dedicación a solucionar nuestros propios conflictos internos. Si así lo hiciéramos el mundo sería mucho mejor, ¿te imaginas? Un mundo donde cada cual trabajara todos esos conceptos, pensando en mejorar, un mundo donde cuidarse es lo natural, donde ser mejores personas no sea de pertenecer a ninguna secta, tener unos valores basados en la empatía, la tolerancia, el respeto, el amor, en definitiva un mundo mejor.

Pues quiero decirte que estamos en la era de Acuario, la era del despertar de la conciencia, en la que el ser humano comienza a comprender de dónde viene y que no estamos solos. Que tenemos que aprender a vivir en armonía, que al estar conectado todo lo que hagamos al otro nos afecta.

Pues por esa razón obremos en consecuencia, y hagamos por una vez las cosas bien, hagámosla desde el corazón.

Cuando seamos conscientes de ello y solo entonces, el mundo tomará otro sentido.

EL VALOR

Muchas veces nos encerramos en nuestro mundo interno, dando rienda suelta a una batalla que no parece tener final. Esa batalla que solo nosotros somos los protagonistas, donde le tenemos la guerra declarada a nuestra visión sobre nosotros mismos. Muchas veces porque no nos damos el valor suficiente y no valoramos muchas de las cosas que hacemos por y para los demás.

Tenemos que tener el VALOR suficiente de valorarnos, darnos la importancia que merecemos, por el simple hecho de SER de ESTAR.

Valorar cada momento que ofrecemos a otros con nuestra presencia, y sobre todo valorarnos como personas.

Porque todas y cada una de tus cualidades merecen una consideración por tu parte.

Y solo de esta manera, cuando eres capaz de valorarte así lo harán los demás.

Querido lector, sé que puede parecer pretencioso e incluso algo egocéntrico, pero créeme, es necesario, porque la imagen que tú tengas de ti es la que los demás verán reflejada.

Recuerda lo del espejo, pon tu mejor vestido par esa gran ceremonia que es la vida, y vístete con tus mejores galas para la gran ocasión.

Pon brillo y lentejuelas, ponte más deslumbrante que nunca ya has vivido en la oscuridad, en el anonimato.

Ya es hora de salir allá fuera y dejar sin aliento a quien nos mire, porque lo merecemos y no hay de otra.

CAPITULO XVI

EL SUEÑO DE GOLAU

Aquella noche mientras dormía y sus soldados custodiaban la gruta, la guerrera había tenido un sueño revelador.

Soñó con su hermana, sintió que se encontraba en peligro, era curioso porque hacía mucho tiempo que se había marchado del reino de Cariad porque no quería salir a librar batallas.

Golau.- ¿Sabéis algo de los soldados del oscuro?

Med.- Señora, se están acercando tendremos que ponernos en marcha.

Enog.- Chicos, no hay tiempo ya están aquí subiendo la falda del monte.

Así los chicos se prepararon para el encuentro con los soldados.

Golau.- No me queda apenas polvo de mariposas para poder elevarnos, pero algo se me ocurrirá.

La guerrera armada con su lanza hecha de punta de cristal, aprovechó que aún no había amanecido para esperar a los soldados del oscuro que subían la colina.

A ambos lados sus soldados preparados con sus armas, mientras Enog se refugiaba tras los espinos temeroso de quedar enganchado entre los pinchos.

Y allí los guerreros Golau y con el grito de por CARIAD (por el amor) abatieron a los soldados del oscuro.

En el monte de los espinos Golau en compañía de sus inseparables amigos y de Enog, el gato, comenzaron su verdadera aventura, esa a la que estás de nuevo invitado a conocer en mi siguiente libro *ENAMÓRATE DE TI*, que es segundo tomo de esta trilogía.

Allí desarrollaré más sus aventuras y aprenderemos más de esta guerrera.

EL COMPROMISO

Cuando nos comprometemos con algo o con alguien, estás firmando un pacto, un acuerdo formal entre las partes contrayentes a ese compromiso.

El compromiso es una promesa, una declaración de principios, esa que tienes que hacerte a ti de por vida.

Todo logro en esta vida se lleva a cabo con un compromiso, tienes que comprometerte a que no desistirás en tanto no lo hayas logrado.

Sin ese compromiso no habrá la razón para la acción, si no tenemos la obligación moral que conlleva ese compromiso, no actuaremos en consecuencia.

Para ello también necesitaremos un poco de carácter, este es el que nos empuja a salir de la cama para llevar a cabo nuestro compromiso.

Y luego llevar una disciplina, mantener unas reglas y una continuidad en la ejecución de ese compromiso. Para ello tenemos que mantener esa rutina que nos hará triunfar en todo lo que nos propongamos, sin una disciplina, poco haríamos se necesita ejecutarla de forma ordenada y mantenida en el tiempo.

Otra de las cosas a tener en cuenta es la motivación, con respecto a la acción.

Saber que la motivación viene después de la acción y no antes, me explico, supongamos que queremos empezar a ir al gimnasio, ¿cuándo estás más motivado, el primer día o cuando llevas un tiempo, y comienzas a ver los resultados?

Pues en la vida pasa igual con todo, ponle acción y empezarás a ver.

Por eso es importante el compromiso, no dejes de hacerlo hasta lograr los resultados deseados.

Sin embargo, para alcanzar esos grados de compromiso se necesita perseverancia y tenacidad. También necesitaríamos un mapa, una guía para poder llegar al objetivo, sin el andaríamos perdidos.

Este libro puede ser tu guía, ya que en el encontrarás las pautas a seguir.

Es muy bueno que en el trayecto de este camino, nos cuestionemos todo, ¿qué estoy aprendiendo?, ¿cómo estoy progresando?, ¿por qué tengo que seguir haciéndolo?

Con estas preguntas evitaremos en caer en la pereza. Aquí te dejo una buena definición:

"Compromiso es lo que transforma una promesa en realidad, es la palabra que habla con valentía de nuestras intenciones, es la acción que habla más alto que las palabras, es hacerse al tiempo cuando no lo hay, es cumplir con lo prometido cuando las circunstancias se ponen adversas, es el material con el que se forja el carácter para poder cambiar las cosas, es el triunfo diario de la integridad sobre el escepticismo."

S.LEHMAN

Así que, querido lector, ya no hay excusas, hoy va a ser un gran día y lo vamos a lograr.

Por lo que fija ya tus propósitos y ve a por ellos, nada se te dará a cambio de un esfuerzo por tu parte, en tiempo, dedicación, dinero o lo que sea que necesites dar para obtenerlo.

Cuando algo nos cuesta un esfuerzo y energía le damos más valor, así que manos a la obra querido escultor de oportunidades.

Pero tenemos que enfocarnos en el HOY para que podamos prosperar, sin dejar para mañana lo que HOY puedas hacer.

Aunque sean pequeños pasos, pero serán constantes y así conseguirás recorrer grandes distancias, cuando quieras darte cuenta ya estarás lejos, habrás llegado muy lejos.

Camina, no te pares, sigue hacia adelante, no mires atrás y lo conseguirás, vamos, campeón o campeona, TÚ PUEDES.

YA CASI ESTÁS....

LAS EFÍMERAS

Algo efímero es algo que dura muy poco tiempo, de ahí el nombre de estos insectos su vida adulta es de 24h o menos.

¿Te maginas? pues tendríamos que plantearnos nuestra vida día a día, paso a paso, llevar nuestra vida como si fuera el último día de nuestras vidas, seguro que de ese modo, no dejaremos para luego las cosas importantes.

Imaginemos por un momento que hoy a las 12 de la noche todo acabará.

¿Qué cosas harías? Piensa en ello y hazlo como si tuvieras ese plazo para realizarlo. Y todos los días actúa de la misma forma, di las palabras de cariño que correspondan, da los abrazos, haz esa llamada de teléfono que tanto te cuesta, manda ese mensaje.

Haz todo lo que te has propuesto hacer ese día, y mañana lo haces igual.

Piensa que no tenemos todo el tiempo, todo es efímero, amigo mío, la juventud pasa, la hermosura pasa, y lo que nos queda es el SER, la esencia, aprovechemos los momentos, los aquí, los ahora.

Vivimos siempre mirando al pasado, dejemos ir a ese fantasma, ese espejismo, demos paso a lo fresco, el pasado ya está muerto.

Quedémonos con lo aprendido, lo vivido, quedémonos con los buenos ratos, quedémonos con los recuerdos, pero no vivamos de ellos, dejemos en nuestra boca un buen sabor.

Embriaguémonos con el perfume de las cosas nuevas, a que es una maravilla esa sensación.

Te recuerdo la vida es bella y de ti depende como quieras vivirla, sí, amigo, todo PESA, pero recuerda que también todo PASA.

Quiero agradecerte una vez más el que sigas leyendo, me siento muy orgullosa también por ti, eso significa que te estás comprometiendo a seguir hasta el final y eso dice mucho de ti.

GRACIAS.

11 SOBRE 10

Esta es la puntuación en la que tienen que ir basadas todas nuestras acciones.

Salir cada día con la sensación y la convicción de que te has puesto ese listón y no lo bajarás por nada.

Cuando nos ponemos esa clasificación es para someternos un poco a presión y así no descansaremos hasta conseguir unos excelentes resultados.

Porque nos obligamos a conseguirlo sí o sí, y lo que es aún mejor el no tener que conformarnos con una clasificación menor.

11 sobre 10, nos hace que espabilemos, nos motiva y no deja que bajemos la puntuación. Recordemos que somos animales de costumbres, y si nos acostumbramos a menos eso es lo que vamos a tener, cuando nos fijamos otros niveles superiores para alcanzar entramos en un espíritu competitivo y por lo tanto, no nos hace decaer. Es dar un paso siempre más allá.

LA CASA IMPERFECTA

Un maestro de la construcción ya entrando en años para jubilarse decide retirarse antes del trabajo para disfrutar con la familia.

Su jefe le pide que antes de irse le construyera la última casa, con lo que el maestro accedió y comenzó su trabajo, pero no le ponía el corazón en aquello que hacía. Utilizaba materiales de muy mala calidad y su trabajo a lo mismo que él de sus ayudantes era deficiente.

Cuando el albañil terminó el trabajo, el jefe fue a inspeccionar la casa y le extendió las llaves de la puerta principal. "Esta es tu casa, querido amigo -dijo. Es un regalo para ti".

Tenemos que hacer todo 11 sobre 10 porque al igual que este desafortunado albañil, nosotros construimos los peldaños que nos llevan al éxito o al fracaso, dependiendo de los materiales que para ello utilicemos.

NECESITAS REFERENTES

Muchas de las veces en nuestras vidas nos creemos los más desdichados por el hecho de no tener suficiente dinero para llevar a nuestro hijo al cine o para poder comprarnos el último modelo de teléfono. Tal vez nuestra desdicha se basa en que aquella persona no te hace caso, o ya ha perdido el interés.

Ya te hablé de mis desafíos y los de mi familia, pero permíteme presentarte ahora a una persona muy especial, se llama PRIMITIVA, es la madre de una muy buena amiga mía. Primitiva es una mujer de las que se le llama de bandera, madre de cinco hijos a los que tuvo que criar ella sola, tras quedar viuda de su segundo marido, bueno ella nunca se casó, pero tuvo dos hombres en su vida de los cuales tuvo a sus hijos. Primitiva trabajaba duro en el campo de los tomates entre otras actividades que realizaba, cargaba con fardos de piedra que llevaba en su cabeza, cuidaba de sus cinco hijos y atendía su casa, todo como muchas de las mujeres de aquella época.

Recordemos a los más jóvenes que no existían las lavadoras y cuando llegaron, solo unos pocos privilegiados la tenían, esto hacía que las labores del hogar se hicieran aún más duras si cabe.

Todo sería un tanto normal para la época, el que una madre tuviera que trabajar tanto para cuidar a sus hijos y sacarlos adelante sola, hubieron muchas viudas en la misma situación, pero lo que hace extremadamente especial a esta mujer en concreto es el hecho de que le falte una pierna.

A Primitiva a la corta edad de 17 años le amputaron una pierna, debido a un accidente, y al poco cuidado que se le dio en el hospital de entonces, donde escaseaban los médicos y las curas eran deficientes.

Pero esta historia no va para que le tengas lástima, para nada, ella es una mujer dinámica, de muy buen humor y adelantada a sus tiempos, vivía acorde con sus criterios y no hacía caso a comentarios venidos a menos. Por eso esta señora es de admirar, espero que te haya servido esta lección de vida, cuando pienses en que tu vida no tiene sentido, recuerda esta historia de superación.

Seguro que todos conocemos alguna historia de superación, pero cuando se trata de tu entorno la consideras como más cercana y real.

Busca referentes cerca de tu entorno y algunos encontrarás, parece que si sabemos de alguien que lo haya pasado peor que nosotros eso nos aliviará el alma, pues sabes qué no hagas eso, tómalo como lo que es, una lección de vida.

Las lecciones de vida no son para que pienses en quedarte como estas y no pongas remedio a tu situación o la mejores. Las lecciones de vida están para que te des cuenta de que esas personas aún con sus dificultades han podido seguir con sus vidas, sin que eso se lo impida.

No les tengas lástima, ten admiración, porque es lo que se merecen, son valientes, fuertes, personas con coraje, te recomiendo que tomes algunos de esos valores y lo apliques a algún aspecto de tu vida en el cual pueda ayudar.

La vida está llena de estas historias, si nosotros con todas nuestras facultades no hemos conseguido lo que queremos o nos creemos inferiores por algún motivo no lo hacemos, a que estamos esperando ahí tienes la prueba de que no hay límites.

EL TRAJE

Cuando quieras darte cuenta estarás entrando en un bucle del cual no querrás salirte, eres tú de nuevo y qué bien te sienta ese traje porque está hecho a tu justa medida, lo has ido tejiendo tu para ti, para tu gran día, ese en el que cuerpo y alma se unan.

Este traje que te sienta tan bien, tienes que cuidarlo y lo que es aún mejor te permite cambiar los adornos, el color y los tejidos.

Lo mismo que un alfarero moldea el barro nosotros somos moldeados.

Por eso en algunos libros como La Biblia se dice que estamos hechos con barro, pero hacía referencia a la forma que somos moldeados como personas, pero para ello no dejes que el barro se endurezca, mantente fresco y no dejes resecar el carácter ni tu esencia.

Viste con el traje de la alegría, del amor de la armonía. Y brilla como nunca antes lo habías hecho, ya se sabe que la cara es el reflejo del alma, como tú te sientas por dentro reflejarás afuera.

Ponte guapo o guapa por dentro, ya hemos limpiado esos cajones, decorado todo, perfumado, aireado y puesto música a nuestro hogar interno.

También puesto en forma nuestro cuerpo físico, hemos estado preparándonos para este momento.

Querido lector, estamos llegando al gran día, a ese donde seguro te están preguntando qué estás haciendo que te notan cambiado, recuerda que es parte del camino, el que vean cambios en ti.

Ya no eres el mismo, ya vas más ligero, ya no puedes pensar igual, porque tienes otro conocimiento.

Pues ahora con ese nuevo traje vayamos a conquistar el mundo, y que vean de lo que eres capaz te veo en el siguiente apartado, lo que te voy a contar allí te va a encantar.

EL PROGRESO

Cuando vas mejorando y experimentas ese avance en tu vida, comienzas a sentir que sales de ese agujero donde te quedaste atrapado durante algún tiempo.

El progreso hace que te impulses hacia adelante y es el cambio en ti lo que hace posible ese progreso, no al revés, porque está claro que si no cambias esos hábitos que hasta ahora tenías no podrás progresar.

Por lo que al fortalecer en ti todas estas actitudes es cuando te haces más apto, como ya sabes la **aptitud** no es considerada tan importante si no tienes la **actitud.**

Un ejemplo de capacidad y actitud lo tenemos en Kim Peek, él no podía cuidar de sí mismo, pero era capaz de recordar el 98% de los 12000 libros que había leído. Tenía, sin duda, memoria verbal extraordinaria.

Piensa un momento, ¿a cuántos no conoces que no tienen grandes estudios, o son precisamente unos lumbreras y, sin embargo, progresan en la vida?

¿Qué podemos obtener con el progreso?

Sobre todo obtenemos el avance en nuestros proyectos, iremos encaminados a mejorar nuestra situación actual, mejorando con ello nuestro estado emocional, ese que es muy necesario para no decaer.

El progreso te da seguridad, al contrario de lo que se piensa, si te quedas con lo que ahora conoces, el quedarte estancado, encerrado y atrapado en tu zona de confort, eso es, amigo mío, lo peor que un ser humano podría hacer, eso es una muerte segura.

Progresar significa esto: prosperar, avanzar, adelantar, mejorar, encumbrarse, subir, evolucionar, perfeccionar, aventajar, rejuvenecer.

Lo contrario es esto: empeorar, estancarse.

¿Qué eliges TÚ?

Si yo hubiera elegido no progresar mi estado hubiera empeorando, si no hubiera tomado la decisión de coger las riendas de mi vida y hacer que las cosas sucedieran, NADA hubiese sucedido, y estaría ahí, viviendo una gran mentira, la que me contaba a mí misma día tras día. La historia interminable, una pesadilla.

Por esa razón di un golpe sobre la mesa y dije ¡BASTA ya!, de vivir en esa cárcel dorada. Y comencé a vivir una vida de posibilidades, sin lugar a dudas y a pesar de las dificultades me siento muy afortunada por haberlo hecho.

Hoy me siento enormemente agradecida con todo lo que he vivido, agradecida y muy feliz de despertar y escuchar lo que mi corazón tenía que decirme.

Porque si entramos en el mundo de yo no creo que esto sea para mí o no me considero tan bueno, nunca avanzaremos y nos quedaríamos allí observando como otros lo logran.

Piensa en todo lo que te puedes perder de hacer, vivir experimentar si no te atreves a dar ese primer paso, piensa en ello con detenimiento, ¿no crees que ya has dormido lo suficiente?, DESPIERTA. La vida no espera por nadie, ella simplemente pasa y se va de puntillas.

EL PUENTE

Toda mi vida me la he pasado solucionando en cierto modo la vida de los demás y claro está despreocupando la mía, mis relaciones personales, mi economía, mi salud, en definitiva anteponiendo mis necesidades a las de los demás.

Eso estaría muy bien si no fuera que nunca deberíamos de olvidarnos de nosotros. Nuestras necesidades importan y mucho a demás.

Siempre he sido como un puente de conexión para otras personas, un puente de conexión y acercamiento a cosas o situaciones que necesitaban en ese preciso momento, era innato en mí, no me daba cuenta que lo hacía.

Empecé a ser consciente de esta situación cuando esas personas me daban las gracias desde lo más profundo de su corazón porque había solucionado una cuestión en su vida, que para ellas era primordial solucionar, simplemente les daba la clave para que ellas pudieran gestionar dichas cuestiones.

Sentía que era como si alguien me chivara exactamente qué tenía que decir en ese preciso instante.

Empecé a interesarme por el mundo esotérico y espiritual, pero de un modo un tanto escéptico.

Me costaba creer en ciertas cosas, pero a la vez sentía que algo en mí no era del todo normal, tenía premoniciones y era sensible a ciertas energías.

Desde muy pequeña hablaba con una amiga invisible, pero yo lo relacioné con una mala relación con mis hermanas ya que nunca querían jugar conmigo a mis juegos de muñecas.

Me sentía muy atraída por los horóscopos y la lectura de las cartas.

Comencé a investigar y pude desarrollar mi propio método de lectura, entendiendo que las cartas solo son una interpretación y un vehículo que utilizo para tal fin.

En muchas ocasiones no las necesito, si siento la necesidad de comunicar algo que la otra persona necesita saber, se la digo, pero le pido permiso.

El que sienta la necesidad de contarle algo o dar un mensaje, no depende de mí, sino de la fuente, esa que me lo chiva, puede ser de algún ser querido, que no se encuentra en el mundo terrenal o de su guía espiritual.

No te pido, querido lector, con nada de esto que te cuento que me creas, o lo creas, aunque la ciencia ya habla de energía y de los efectos que hace sobre nosotros.

Laurent Lavoiser creó el principio de la masa, o ley de Lavoisier.

"La materia ni se crea ni se destruye, solo se transforma."

Como ya conté anteriormente, cuando estamos a punto de dormirnos, llegamos al estado alfa, en ese estado, somos más receptivo con el mundo cuántico y llegamos incluso a comunicarnos con los seres queridos que quieren comunicarse con nosotros.

No nos olvidemos que al ser energía tenemos la capacidad de emitir y recibir las frecuencias de otras energías. Convirtiéndonos en grandes antenas emisoras y receptoras.

Querido lector, no pretendo que me creas, solo te expreso que en el mundo onírico, esa posibilidad se puede dar.

Los sueños son interpretaciones de nuestro subconsciente, que nos habla de premoniciones, o de cómo estamos en nuestro interior.

Según con lo que soñemos, tendrá diferentes significados.

Ya existe para ello el diccionario de los sueños que nos interpreta estos dándoles un significado onírico.

De ellos sacamos muchos mensajes de nuestro subconsciente y nos enseña un poco más de esa parte oculta de nuestro ser.

Yo te propongo que no dejemos nunca de soñar, que sigamos nuestros sueños como algo primordial en nuestras vidas.

Espero y deseo que el trayecto por estas páginas te haya servido para algo más que distraerte un rato, mi propósito es poner algo de luz en tu vida, algo de esperanza, porque la esperanza es lo último que se pierde, sin ella entonces si estamos perdidos.

"Si ayudo a una sola persona a tener esperanza, no habré vivido en vano"

MARTIN LUTHER KING

Me gustaría que me ayudaras a sembrar esperanza a los que las necesiten, haciendo llegar a más personas lo que en estas páginas he escrito, comparte alguna página o párrafo con alguien que crees que pudiera ayudar, sácate una foto en las redes sociales y cuélgalas en mi Facebook.

Así harás llegar a más personas este mensaje y contribuyes a mejorar la vida a otros, por ello ya te doy las gracias y te deseo muchos éxitos en tu vida.

También me gustaría que me contaras sobre tus progresos, entra en mi email. *Pilarvegasantana2017@gmail.com* y cuéntamelo.

Quiero con ello darte las gracias por hacer posible este proyecto y de ayudarme en mi propósito, que es hacerlo llegar al mayor número posible de personas.

He escrito dos libros más y espero verte allí para que sigas con tu crecimiento personal.

No te olvides de casarte contigo y con tus sueños.

Esto no es el final, apenas es el principio.

Gracias, te amo, con cariño:

Pilar Vega.

Los campeones no se hacen en los gimnasios

Los campeones se hacen desde lo que llevan en su interior, un deseo, un sueño, una visión.

Ellos tienen que tener el aguante hasta el último minuto.

Tienen que ser un poco más rápidos.

Tienen que tener habilidad y voluntad.

Pero la voluntad tendrá que ser más fuerte que la habilidad.

MOHAMMAD ALÍ.

Hace 3 años mi vida era un caos, llena de sus altos y bajos. Pero algo dentro de mí quería encontrar respuestas, y estas me llegaron una tarde mientras ojeaba mi face book, y allí estaba, era el libro con el título de la Voz de tu ALMA.

En realidad andaba buscando otro pero por CAUSALIDAD fue este el de la VOZ DE TU ALMA el que llego a mis manos, bendigo la hora que así fue.

Leer este libro ha supuesto una gran transformación en mi vida, he pasado de no entender nada, a ver que todo cobra un sentido.

Anduve buscando mi propósito de vida, aquel que me dijera qué he venido hacer aquí, y encontré las respuestas en las páginas de la Voz de tu Alma.

Sigo mejorando mi vida en todos los aspectos de salud, dinero y amor.

He aprendido que los desafíos son tu mayor bendición cuando los superas.

Mi vida ha sido un antes y un después, leer la saga la voz de tu alma te transforma y te despliega las alas hacia otra nueva dimensión, aún estoy en un nube gracias mentor Lain García Calvo y a la mentoria de tu primer Best seller por tanto y por hacer que las cosas pasen.

Gracias, gracias, gracias.

La Voz de tu Alma, te libera de la gran mentira que nos han contado, es una guía para encontrar el camino hacia tu LIBERTAD.

Made in the USA
Monee, IL
07 December 2022

20104373R00162